LE BIEN-ÊTRE
N'A RIEN À VOIR AVEC
L'ÂGE !

LE BIEN-ÊTRE
N'A RIEN À VOIR AVEC
L'ÂGE !

VIVRE PLEINEMENT : HEUREUSE ET EN SANTÉ

ROBIN MCGRAW

Traduit de l'anglais par
Josée Guévin

ADA
éditions

Éditeur : François Doucet
Traduction : Josée Guévin
Révision linguistique : Féminin Pluriel
Correction d'épreuves : Nancy Coulombe, Carine Paradis
Montage de la couverture : Matthieu Fortin
Photo de la couverture : © istockphoto
Mise en pages : Sébastien Michaud
ISBN 978-2-89667-071-0
Première impression : 2010
Dépôt légal : 2010
Bibliothèque et Archives nationales du Québec
Bibliothèque Nationale du Canada

Éditions AdA Inc.
1385, boul. Lionel-Boulet
Varennes, Québec, Canada, J3X 1P7
Téléphone : 450-929-0296
Télécopieur : 450-929-0220
www.ada-inc.com
info@ada-inc.com

Diffusion
Canada :   Éditions AdA Inc.
France :   D.G. Diffusion
                Z.I. des Bogues
                31750 Escalquens — France
                Téléphone : 05.61.00.09.99
Suisse :   Transat — 23.42.77.40
Belgique :   D.G. Diffusion — 05.61.00.09.99

Imprimé au Canada

Participation de la SODEC.
Nous reconnaissons l'aide financière du gouvernement du Canada par l'entremise du Programme d'aide au développement de l'industrie de l'édition (PADIÉ) pour nos activités d'édition.
Gouvernement du Québec — Programme de crédit d'impôt pour l'édition de livres — Gestion SODEC.

Catalogage avant publication de Bibliothèque et Archives nationales du Québec et Bibliothèque et Archives Canada

McGraw, Robin

    Le bien-être n'a rien à voir avec l'âge ! : vivre pleinement : heureuse et en santé
    Traduction de : What's age got to do with it?.
    ISBN 978-2-89667-071-0

1. Personnes d'âge moyen - Santé et hygiène. 2. Exercices pour personnes d'âge moyen. 3. Femmes d'âge moyen - Santé et hygiène. 4. Beauté corporelle. I. Titre.

RA777.5.M37814 2010   613.7'044   C2010-940400-9

Dédicace

Pour toutes les femmes qui désirent vivre leur vie avec grâce et dignité, en dépit du temps qui passe. Ce livre et la passion que j'y ai mise vous sont pleinement destinés.

Remerciements

Le livre *Le bien-être n'a rien à voir avec l'âge!* a été l'un des plus étonnants projets de ma vie et auquel un grand nombre de gens merveilleux ont collaboré. Le privilège d'écrire sur la santé et le bien-être des femmes constitue le point culminant d'une passion et d'une quête qui a duré toute ma vie.

Je désire bien entendu remercier Phillip, mon mari depuis 32 ans, de son soutien durant tout ce processus qui a nécessité des recherches, des entrevues, une phase de rédaction et de remaniement des textes qui m'ont semblé sans fin durant un an et demi. Il y a 35 ans, nous avions convenu de «vieillir ensemble» et nous y voilà à présent. J'adore ça!

Je remercie spécialement mes fils Jay et Jordan, qui auraient pu rendre la vie difficile à une femme entourée d'hommes. Les observer en train d'apprendre, les voir grandir et devenir de merveilleux jeunes gens qui respectent les femmes et la famille a été un magnifique cadeau pour moi. Merci d'avoir toujours cru en votre mère, surtout dans ce défi de devenir auteur. Vous êtes ma plus belle réussite et ma plus grande fierté.

Merci également à ma merveilleuse et superbe belle-fille Erica pour son soutien enthousiaste et nos longues conversations sur la vie de femme dans ce monde en perpétuel changement. Je suis tellement fière de toi.

Comme toujours, je remercie spécialement ma belle-mère, Jerry McGraw, d'avoir toujours été ma plus grande admiratrice, m'encourageant sans cesse à croire en moi en tant qu'épouse, mère, et surtout, en tant que femme. Vous êtes une telle inspiration pour moi.

À ma sœur Cindi, merci d'être celle que tu es. Tu as démontré tant de grâce et de courage dans l'adversité que tu m'as aidée à donner une certaine perspective à ma vie et à ne jamais me nourrir de certitudes, même en ce qui concerne le déroulement d'une seule journée.

À Brenda… Merci de ta loyauté.

En écrivant ce livre sur les femmes, j'ai eu la chance d'être entourée de certaines grandes amies. Je remercie en particulier ma meilleure amie, Janet, pour son appui et son aptitude à me faire rire aux larmes. Je remercie également Carla Pennington et Terry Wood de leur soutien et pour m'avoir aidée à mettre au point le message que j'ai tant d'enthousiasme à transmettre. Femmes, mères et professionnelles, vous êtes une telle source d'inspiration. Je n'y serais jamais arrivée sans vous.

Un gros merci à l'infatigable et enthousiaste Michele Bender. Tu es une femme de grand talent, aux qualités tellement appréciables.

Je suis reconnaissante à tous ces experts qui m'ont si généreusement donné de leur temps et de leur attention pour ce livre et pour la place qu'ils occupent dans ma vie. Merci donc aux Drs Howard Liebowitz et Prudence Hall, directeurs médicaux du Hall Center de Santa Monica (Californie); Robert Reames, CSCS, D, CN, RTS1, CPT, entraîneur personnel et nutritionniste; Janet Harris, esthéticienne de grande renommée et propriétaire du Skin Rejuvenation Center, à Beverly Hills; Jim Hrncir, RPh; Frank Lawlis, Ph.D, psychologue; Matthew Vanleeuwen, célèbre artiste du maquillage; Steven «Cojo» Cojocaru, spécialiste de la mode et reporter du Red Carpet; et à Lucie

Doughty, coloriste pour de nombreuses célébrités et directrice de la rédaction pour les produits Paul Mitchell.

Je remercie également Jan Miller et Shannon Marven, mes agents littéraires chez Dupree Miller and Associates. En premier lieu, merci pour votre merveilleuse amitié qui m'a procuré un réel soutien, mais aussi pour la passion et la détermination dont vous avez fait preuve en tant qu'agents, ce qui ne saurait que combler les espoirs d'un auteur. Cet ouvrage n'aurait jamais vu le jour sans vous.

Et enfin, merci à Thomas Nelson Publishing. Votre vision et votre soutien ont contribué de façon décisive à l'évolution du manuscrit et ont dépassé toutes mes attentes. Votre vif intérêt pour ce livre a été évident dès le début. Votre détermination à transmettre un message de qualité aux femmes du monde entier m'a beaucoup inspirée.

Table des matières

Le bien-être et l'âge

Eh bien, mesdames, le moment est venu de discuter. Et c'est du vieillissement dont nous allons parler. Dès notre naissance, nous commençons à vieillir. À nous de décider comment se déroulera ce processus. Allons-nous simplement le subir ou plutôt faire le nécessaire pour nous sentir bien et avoir la plus belle apparence possible ?

Je crois sincèrement que, quel que soit notre âge, la plupart d'entre nous désirent être des femmes en pleine santé, aussi énergiques et radieuses que possible. Il faut certainement des efforts pour y arriver et cela ne se produit pas par hasard, mais il est vraiment possible de vivre pleinement, heureuse et en bonne santé. Je le sais parce que depuis l'âge de 25 ans, je suis devenue championne en ce domaine et je fais tout ce qu'il faut pour éprouver le plus grand bien-être possible. Bien entendu, j'ai encore de nombreuses années devant moi, mais aujourd'hui, à 55 ans, j'ai franchi une bonne partie des étapes que la plupart des femmes traversent ou traverseront, et je me sens en grande forme.

J'essaie de vivre chaque jour avec passion et enthousiasme, accueillant avec plaisir chaque nouvelle année, et j'ai toujours apprécié mon âge, quel qu'il soit. Cette année, je fête mes 55 ans. Je me sens toujours jeune et je n'hésite pas à révéler mon âge. Cela en surprend certaines, mais, à mes yeux, l'âge n'est qu'un chiffre; et je n'ai jamais vécu en tenant compte de ce chiffre. Le nombre de bougies sur un gâteau d'anniversaire n'a aucune importance. Ce qui compte, c'est votre attitude à l'égard de la vie et votre choix de prendre le plus grand soin de vous-même. En tant que femmes, épouses et mères très occupées, nous avons souvent le réflexe de nous inscrire en dernière place sur la liste des choses à faire, quand nous y figurons! Un peu trop portées à materner, nous prenons grand soin de répondre aux besoins de ceux que nous aimons et pensons qu'en nous concentrant sur leur bonheur, nous serons heureuses. Mais souvent, c'est à notre détriment et c'est trop cher payer.

Lorsque j'élevais mes deux fils, Jay et Jordan, je m'échinais à leur préparer des menus aussi sains que possible pour le petit déjeuner et le repas du soir, ainsi qu'un repas équilibré pour leur boîte à lunch. Mais il m'est souvent arrivé de n'avoir comme petit déjeuner qu'une tranche de gâteau et un café ou de n'avaler pour déjeuner que des jujubes pendant que je faisais le covoiturage. À l'époque, je ne laissais jamais mes fils ou Phillip négliger leur bilan médical annuel et me battais bec et ongles pour obtenir un rendez-vous *le jour même*, si l'un d'eux était malade. Lorsqu'il s'agissait de moi, je me demandais toujours si ça ne pouvait pas attendre, avant d'appeler le médecin. Grâce à certains tournants dans ma vie, dont je parlerai plus tard, vous verrez que j'ai travaillé fort pour changer cela. Mais je sais que je ne suis pas la seule à accorder à ma famille une telle priorité. Tant de femmes, comme moi, font tout pour combler les besoins de leur famille, voire les anticiper, mais négligent totalement leurs propres besoins, qu'ils soient d'ordre physique, mental ou affectif.

Ma très chère mère, Georgia, était l'une de ces femmes. À seulement 58 ans, elle est morte d'un infarctus massif tandis que nous parlions au téléphone. Je crois que la première cause de son décès, alors qu'elle était si jeune, est qu'elle ne prenait pas un soin suffisant d'elle-même. C'était une femme aimante et précieuse qui voulait que tout le monde soit heureux et elle faisait toujours passer ses cinq enfants et son mari avant elle-même. Comme nous étions très pauvres, dépenser quelques sous de l'argent du ménage pour elle ne lui apparaissait même pas envisageable. Cela signifie qu'elle n'allait jamais chez le médecin pour des examens réguliers, des mammographies ou même un simple bilan sanguin, qui aurait révélé, entre autres, son risque élevé d'infarctus. Elle souffrait par ailleurs d'abominables allergies, mais même lorsque ses yeux coulaient et que son nez était rouge et irrité, elle remettait les piqûres de désensibilisation à plus tard, jusqu'à ce qu'elle n'en puisse vraiment plus.

Bon nombre des souvenirs que j'ai de ma mère se rapportent à ce qu'elle faisait pour les autres : cuisiner pour nous sept, préparer notre gâteau préféré pour notre anniversaire, repasser les chemises de mon père, fabriquer nos vêtements sur sa machine à coudre et, plusieurs années plus tard, garder ses petits-enfants et les gâter. Même ses derniers moments sur terre ont été consacrés à quelqu'un d'autre, symbolisant la façon dont elle avait vécu. J'avais 32 ans, au moment de sa mort, et Phillip et moi venions d'emménager dans une nouvelle maison. Le déménagement ne s'était pas déroulé comme prévu, car les déménageurs avaient été retardés et étaient arrivés après minuit ; or, une pluie torrentielle avait transformé nos cartons en un amas détrempé. Voulant me réconforter tandis que je fouillais dans mes affaires humides, ma mère m'avait préparé une tarte à la citrouille. Et c'est la dernière chose qu'elle a faite avant de mourir. Imaginez : elle était au bord de la crise cardiaque et voilà qu'elle roulait la pâte à tarte ! Plus de 20 ans plus tard, cette pensée me serre encore le cœur et fait jaillir mes larmes. J'admire et j'essaie d'imiter les innombrables qualités de ma mère, comme sa foi chrétienne, son amour fervent pour sa famille et sa force dans des périodes difficiles, mais sa façon de se négliger n'en fait pas partie. À compter du jour de sa mort, je me suis juré de ne pas perpétuer son vœu d'abnégation.

C'est ainsi que je me suis donné pour mission d'atteindre et de conserver la meilleure santé possible. C'est devenu une passion, un passe-temps et un engagement qui m'a amenée à passer des heures à parcourir Internet, à lire des ouvrages et à interviewer des spécialistes pour apprendre tout ce que je pouvais sur la santé des femmes. Mon objectif a toujours été de trouver tous les outils possibles pour influencer le rythme auquel je vieillis et découvrir la meilleure façon de le faire avec grâce. Mais ce jour où ma mère est morte, je ne me suis pas seulement promis de le faire pour moi-même, mais également pour les autres femmes. Je voulais leur faire partager ce que j'apprenais et les aider à comprendre que s'occuper de soi-même et gouverner d'une façon dynamique le corps que Dieu nous a donné n'a rien d'égoïste : c'est tout simplement essentiel. C'est l'objet du livre que vous tenez entre vos mains.

À l'époque où j'ai formulé ce vœu, les « autres femmes » auxquelles je pensais étaient d'autres mamans rencontrées au soccer, ainsi que mes amies proches et ma famille. Dieu m'a guidée dans cette voie et aujourd'hui il m'offre l'opportunité de transmettre mon message à des femmes qui vivent partout dans le monde. Vous vous demandez peut-être : « *En quoi êtes-vous différente d'une autre femme de 55 ans ?* » La seule différence, c'est que grâce à l'émission mondialement télédiffusée de mon mari, *Dr. Phil*, j'ai le privilège de pouvoir m'adresser aux femmes du monde entier afin de leur parler de sujets qui me tiennent à cœur. J'ai eu la chance d'atteindre beaucoup de gens — en participant à la conférence Women of Faith et à des émissions comme *Rachel Ray* — et plus je m'adresse aux femmes, plus je me sens inspirée pour *continuer* à leur parler. J'ai le sentiment que si Dieu m'a donné cette occasion unique, il serait égoïste de ne pas la saisir. Car même si une seule chose dans ce livre changeait la vie d'une seule femme, cela justifierait que je partage ce que j'ai appris. C'est ce que je ressens fortement.

Dans ces pages, je veux vous communiquer les choses qui ont le plus influencé mon parcours physique, mental, affectif et spirituel dans cette vie. Nous aurons l'occasion d'aborder certains sujets amusants, comme la coiffure, le maquillage et la mode, mais il est important que l'apparence physique s'appuie sur les bases solides d'une bonne santé et du bien-être. L'une des raisons pour lesquelles ce sujet me passionne tant, c'est que j'ai la conviction qu'on ne peut être la meilleure épouse, mère, fille, sœur, employée ou qui que l'on souhaite être, sans d'abord prendre soin de soi-même. Phillip a l'habitude de dire que nous ressemblons à des comptes bancaires : si nous ne faisons que des retraits de temps, d'émotions et d'énergie pour les autres sans jamais renflouer le compte, nous allons droit vers une faillite émotionnelle. En prenant soin de votre santé, vous offrez un énorme cadeau à ceux que vous aimez et qui vous aiment. Voilà pourquoi je dis que, si vous aimez vos enfants — et je sais que c'est le cas —, prenez d'abord soin de leur maman. Si vous aimez votre mari, prenez d'abord soin de sa femme. Si vous aimez vos parents, prenez d'abord soin de leur fille.

Au cours des sept saisons de l'émission *Dr. Phil*, j'ai eu le plaisir d'accompagner plusieurs femmes très méritantes dans le processus pour transformer leur apparence. Certaines transformations, rapides, se limitaient à un changement de coiffure, de maquillage ou de vêtements ; d'autres, plus profondes, exigeaient parfois un mois ou davantage de temps. Les femmes étaient alors amenées à consulter des spécialistes réputés en bien-être, nutrition, soins de la peau, mode, beauté et santé.

Ce travail auprès des femmes est pour moi un grand honneur (et j'y prends beaucoup de plaisir), mais ce qui me plaît encore plus, c'est ce qui se produit *après* la transformation. Elles sont si nombreuses, ces femmes, à me téléphoner ou à m'écrire après leur retour chez elles pour me dire que leur transformation ne concerne pas que leur apparence. Bien sûr, elles ont perdu du poids, changé leur coiffure et découvert des vêtements plus flatteurs. Mais plusieurs me disent que c'est leur transformation intérieure qui a le plus modifié leur vie.

Après tant d'années passées à se mettre en dernier, elles ont pris conscience qu'elles aussi méritaient du temps, de l'attention et des soins. Elles ont davantage confiance en elles quand elles se sentent à leur meilleur et cela améliore tous les aspects de leur vie. Elles me disent qu'elles ont le sentiment d'être devenues la femme qu'elles ont toujours voulu être. L'une de ces femmes, qui a été l'objet d'une transformation de 30 jours, ressort particulièrement dans mon souvenir. Elle est venue me voir après l'enregistrement de notre dernière émission, m'a pris la main et, en larmes, m'a dit : « Je ne serai plus jamais celle que j'ai été. Je vais maintenant avancer dans la vie avec mon nouveau moi. Merci d'avoir changé ma vie. »

Je ne cesse de m'étonner en constatant que, si j'ai toujours entrepris ces projets de transformation dans le but de faire une différence dans la vie des femmes, au bout du compte, leur transformation a aussi fait une différence dans la mienne. Elles m'ont inspirée puis encouragée à continuer de transmettre ce goût de prendre soin de soi, plutôt que l'abnégation, et enfin elles m'ont poussée à écrire ce livre. D'autres femmes m'ont motivée à prendre la plume : ce sont toutes celles qui, par milliers, m'envoient des courriels tous les mois. Ces femmes veulent changer leur vie, mais ne savent pas toujours comment le faire.

Certaines de leurs inquiétudes reviennent constamment et j'ai le cœur brisé de ne pouvoir les aider individuellement. Voici quelques exemples de ce que ces femmes me disent :

- « J'ai 42 ans, mais j'ai l'impression d'en avoir 62. »
- « Durant des années, je n'ai pas fait attention à moi, et maintenant, je ne sais pas comment me retrouver. »
- « J'ai perdu mon éclat d'antan. »
- « La femme que j'étais me manque. »
- « J'ai tellement peur de vieillir. »
- « Je veux retrouver ma santé et revivre. »
- « J'ai l'impression de tomber en morceaux. »

- « Je veux ressentir de la fierté en me regardant dans le miroir. »
- « Je veux me sentir mieux, afin d'être l'épouse et la maman que mon mari et mes enfants méritent. »
- « Quand je me regarde dans le miroir, je vois trois mots : « fatiguée », « triste » et « vieille ». »
- « Je déteste tellement mon apparence que je me terre dans ma maison pour éviter d'avoir à me montrer. »

Si vous avez ce genre de pensées, vous n'êtes pas la seule. Après avoir lu un très grand nombre de courriels de ce type, j'ai su que je devais écrire un livre, non seulement pour répondre aux questions que les femmes me posent au sujet de ce que je fais personnellement, mais également pour vous transmettre une partie des ressources importantes que j'ai découvertes, et pour vous rappeler que vous en valez la peine. Il est temps de cesser de mettre votre vie en veilleuse ! Le décès prématuré de ma mère m'a enseigné que de tout sacrifier pour votre famille — y compris votre santé, votre âme et votre esprit — ne fait pas de vous une meilleure épouse ni une meilleure maman. J'aimerais que vous vous joigniez à moi pour retrouver l'envie de vivre passionnément, heureuse et en bonne santé.

Ce livre s'adresse aux femmes de tout âge, car je crois qu'il n'est jamais trop tôt pour prendre une part active dans sa santé et son bien-être. Je peux en apporter mon témoignage. Aujourd'hui, à 55 ans, je retire le bénéfice des choix que j'ai faits dans la vingtaine, la trentaine et la quarantaine et qui ont vraiment porté fruit. Quand j'avais 20 ans, ma motivation pour l'exercice physique et une nourriture saine avait sans doute plus à voir avec le souci de mon apparence, mais elle m'a quand même permis de jeter les bases de bonnes habitudes. Aujourd'hui, mes raisons vont bien au-delà de mon allure vestimentaire. Lorsque ma mère est morte, j'étais dans la trentaine et ma préoccupation s'est déplacée vers ma santé. J'ai également considéré l'avenir. J'ai réalisé que je ne voulais pas passer des années à élever mes enfants et à m'occuper de ma famille pour ensuite, quand ils auraient grandi, apercevoir dans le miroir une femme que je ne reconnaîtrais plus, vieillie et se sentant inutile. J'ai plutôt décidé d'organiser ma vie de façon à me projeter dans l'avenir. Cela dit, je pense sincèrement qu'il n'est jamais trop tard pour commencer à prendre soin de soi et à agir pour sa santé et son bien-être. Chaque jour représente une nouvelle chance de vivre en meilleure santé et plus heureuse, et je sais maintenant que ce que je fais aujourd'hui portera fruit quand j'aurai 60 et 70 ans. Je demeure à l'écoute de mon corps, sensible aux changements qui surviennent, et j'apporte des changements dans ma vie en accord avec ceux-ci.

Je crois également qu'il est bon d'être proactive dans les soins accordés à notre santé. Si je ne me sens pas bien, je ne me contente pas de rester à m'inquiéter sans rien faire. J'agis. Et même quand je me sens bien, je gère ma santé comme si ma vie en dépendait. J'ai finalement pris conscience que personne ne le fera à ma place. Alors, chaque année, je passe un examen médical, un test de Pap et une mammographie ; je vais chez le dentiste deux fois par an. Je fais un bilan sanguin pour vérifier mon taux de cholestérol et mes enzymes, et je fais également évaluer mes taux d'hormones tous les trois mois (je traiterai de ce sujet au chapitre 5). J'ai subi une tomodensitométrie pour détecter tout signe d'ostéoporose, une colonoscopie pour déceler un cancer du côlon et une scintigraphie cardiaque qui repère les artères bloquées. J'ai même passé un IRM global, c'est-à-dire un examen non invasif et indolore par un appareil qui explore le corps afin de détecter toute anomalie. Même en ne bénéficiant pas des meilleures assurances, vous pouvez quand même être proactive et obtenir des examens réalisés par des médecins ou des cliniques admissibles dans votre régime d'assurance, ou trouver des tests de dépistage à prix réduit, ou gratuits, dans des hôpitaux, cliniques et centres communautaires ou de santé de votre quartier. Par exemple, vous pouvez obtenir un dépistage gratuit du cancer de la peau par l'intermédiaire de l'American Academy of Dermatology ou une mammographie gratuite ou à bas prix grâce au National Breast and Cervical Cancer Early Screening Program.

Je prends également en compte mes antécédents familiaux, puisque tant de maladies ont une origine génétique. Ma mère est décédée d'un infarctus, mon père est mort d'un cancer et mon frère jumeau a subi un triple pontage il y a six ans. Les antécédents familiaux constituent un facteur de risque, mais je n'ai aucun contrôle là-dessus. J'ai donc choisi de me concentrer sur les facteurs que je *peux* contrôler, comme manger sainement, faire de l'exercice, prendre des vitamines, surveiller mes hormones, ne pas fumer ni consommer d'alcool. Je pratique l'autoexamen des seins et de ma peau tous les mois. Phillip me surnomme la « reine de la recherche » parce que je me tiens au courant des derniers développements sur la santé en lisant des ouvrages, en visitant mes sites favoris et en parlant aux nombreux médecins, pharmaciens et spécialistes en médecine alternative que je connais. Naturellement, je ne pense pas pouvoir *tout* contrôler, mais je crois en l'effort pour préserver notre santé.

Précisons d'abord une chose. Je ne prétends en aucune façon être parfaite. J'adore le chocolat et une coupe de champagne autant que n'importe qui, et je mange du pain tous les jours (oui, tous les jours). Je suis sûre que si mon régime alimentaire était irréprochable, j'aurais six kilos en moins, mais je considère que renoncer aux aliments que j'aime n'en vaut pas la peine. Mon objectif n'est pas d'être parfaite (quel que soit le sens de ce mot), mais plutôt d'avoir des attentes réalistes sur la façon de vivre le plus sainement et la plus heureuse possible. Je ne prétends pas non plus que vous occuper de vous-même vous transformera complètement. Nous héritons des cuisses de notre mère ou des hanches de notre grand-mère et il n'y a pas grand-chose à faire pour changer cela. Par conséquent, ne perdez pas votre temps à culpabiliser et dites-vous plutôt que vous aimez vos hanches telles qu'elles sont et n'y pensez plus.

Dans mon esprit, nous devons choisir comment nous voulons vivre notre vie et notre façon de l'aborder. Chaque jour amène des choix. Vous pouvez vous éveiller avec un esprit négatif et la crainte de l'avenir ou en prenant le parti de vous dire « Aujourd'hui, je décide de faire tout ce que je peux pour connaître la paix, l'amour et la joie dans ma vie ». Le choix tient une *énorme* part dans ma vie. Je sais que Dieu a un projet pour moi et je choisis d'être contente et enthousiaste à l'égard de ce projet. Je ne tiens pas pour acquis qu'il m'a accordé une journée de plus. Je choisis plutôt de prendre soin de moi en sachant qu'il n'est pas égoïste de s'accorder la priorité. Vous pouvez le faire aussi. Vous avez le droit de faire une pause pour rompre un rythme endiablé, choisir de ne pas répondre au téléphone chaque fois qu'il sonne ou à tous les courriels que vous recevez. Vous avez le droit de garder un peu de temps pour vous-même et de dire aux enfants « Non, je ne vais pas te conduire chez ton ami maintenant », ou encore de remettre la lessive au lendemain. Il n'est pas obligatoire que le frigo soit toujours bien garni ni que les enfants soient toujours ravis du repas que vous avez préparé. J'étais certainement destinée à devenir une épouse et une mère et l'éducation de mes fils est une tâche que j'ai prise au sérieux, mais il m'est arrivé de mettre la lessive de côté ou de commander un repas afin de pouvoir recharger mes batteries et conserver un peu de temps pour moi. Mes fils Jay et Jordan ont maintenant 29 et 22 ans et ils ne s'en portent pas plus mal.

Cela dit, nous ne réalisons pas toujours qu'une pause ou que du temps pour soi est nécessaire. Les femmes sont tellement habituées à courir, courir et encore courir, et à subir un stress important qu'elles en viennent à croire qu'il est normal de se sentir accablées, épuisées et angoissées. J'ai même entendu des femmes affirmer qu'il est « normal » de se sentir léthargiques, fatiguées, stressées et trop grosses, entre autres, car on peut très bien rationaliser ces états en disant que « Je suis très occupée » ou que « Je suis une maman ». Mais vous n'êtes pas obligée de vous sentir ainsi. À mon avis, pour ces raisons justement, vous avez plus que quiconque besoin de vous sentir énergique et en pleine possession de vos moyens. Oui, vous êtes occupée ; oui, vous avez un emploi ; et oui, vous êtes une fille, une épouse et une mère. Vous avez donc toutes les raisons de vouloir vous sentir au meilleur de vous-même et d'être en bonne santé. Vous avez besoin de toute votre force pour composer avec les exigences de la vie. Par conséquent, vous mettre en forme ne peut que vous aider.

Après tout, si vous ne prenez pas soin de vous, les autres ne pourront pas recevoir le meilleur de vous-même ! Je veux vous aider à changer cela.

Dans ce livre, nous allons aborder différents sujets dont la forme physique, l'alimentation, les soins de la peau, les hormones, le maquillage, la coiffure et la mode. Bien entendu, vous n'aurez peut-être pas besoin de travailler tous ces aspects de votre vie, car c'est beaucoup à la fois. Il vaut d'abord mieux vous concentrer sur un ou deux aspects qui vous tiennent plus à cœur ou qui vous motivent davantage. Quand vous verrez à quel point vous vous sentez mieux après avoir amélioré un aspect de votre vie, l'effet boule de neige vous donnera envie d'aller plus loin et d'en changer d'autres. Comme je l'ai déjà dit, mon but n'est pas de vous dire quoi faire, mais plutôt de vous faire part de ce que j'ai fait et de ce qui a le mieux fonctionné pour moi. Cela comprend des conseils et des renseignements reçus de spécialistes sur certains produits et traitements (bien que je n'aie aucun intérêt d'ordre financier ou commercial dans ces produits et services, ou quelque lien de ce genre avec les professionnels mentionnés dans ce livre). J'espère vous aider ainsi à trouver ce qui *vous* convient.

Si je ne suis pas l'experte en ces matières, je suis devenue experte pour comprendre ce qui me convient. J'aimerais que vous le deveniez à votre tour pour vous-même. Pour pouvoir vous aider à y parvenir, j'ai fait appel à de nombreux spécialistes qui vous feront part de leurs conseils au fil des pages. Ils ne sont pas de quelconques experts choisis uniquement par références ou grâce à un formidable curriculum vitæ (bien que ce soit le cas). Ce sont les experts que j'ai personnellement consultés pour m'aider à me sentir bien et à avoir la meilleure apparence possible. Je suis heureuse qu'ils fassent désormais partie de ma vie et je leur suis reconnaissante d'avoir accepté de partager leurs judicieux conseils avec vous.

Permettez-moi de vous présenter les spécialistes consultés sur les divers sujets :

Robert Reames, CSCS, D, CN, RTS1, CPT, entraîneur personnel et nutritionniste, il est aussi l'entraîneur officiel et le nutritionniste du Dr. Phil Ultimate Weight Loss Challenge, de même que l'auteur de *Make Over Your Metabolism*, et le créateur de la série de DVD *Robert Reames Lifestyle Transformation System*. J'ai fait la connaissance de Robert deux jours après avoir déménagé de Dallas à Los Angeles. Comme vous pourrez le constater tout au long de ce livre, j'aime être bien organisée. Voilà pourquoi, une semaine avant notre déménagement, j'avais appelé un magasin d'équipements de gymnastique afin que le jour de notre arrivée, quelqu'un puisse venir mettre en place les appareils que nous apportions de Dallas. J'ai demandé au technicien s'il connaissait des entraîneurs personnels et il m'a recommandé Robert. Celui-ci est venu chez moi dès le lendemain et nous faisons un entraînement ensemble depuis.

Janet Harris est une esthéticienne renommée, propriétaire du Skin Rejuvenation Center à Beverly Hills et créatrice d'une gamme unique de produits de soins de la peau. Son expertise concernant la peau ne cesse de m'étonner. Avant de posséder son propre spa, Janet a travaillé dans les bureaux de quelques chirurgiens plasticiens, auprès des patients en salle postopératoire. C'est là qu'elle a tellement appris sur les mécanismes de la peau, comment celle-ci guérit et se régénère, de même que ce qui est susceptible de lui nuire. Ce que j'aime chez Janet et la raison pour laquelle nous nous sommes tout de suite bien entendues, c'est qu'elle ne s'entiche pas du dernier produit ou traitement en vogue. Plutôt que d'adopter sans discernement les dernières tendances antivieillissement, elle se montre réfléchie et méthodique dans les traitements qu'elle propose, et avisée dans les conseils qu'elle dispense.

Jim Hrncir, RPh, est beaucoup plus qu'un pharmacien. La première fois que je l'ai rencontré, c'était en tant qu'ami de la famille qui possédait la Las Colinas Pharmacy Compounding and Wellness Center, à Irving (Texas). J'avais entendu dire qu'il était particulièrement brillant, et on le décrivait comme un pionnier dans l'élaboration de composés pharmaceutiques et nutritionnels. Mais ce n'est qu'arrivée à l'âge de la ménopause (dont je vous parlerai abondamment au chapitre 5), lorsque j'ai eu besoin de son expertise, que j'ai pu constater la valeur de ses conseils. Ils m'ont guidée sur la bonne voie, et je lui en suis reconnaissante. Même s'il habite au Texas et moi en Californie, nous sommes toujours en communication. Je suis étonnée que, plus de 10 ans après notre première rencontre, il puisse encore m'apprendre quelque chose que j'ignore chaque fois que nous nous parlons.

Prudence Hall, MD, est la fondatrice et la directrice du Hall Center, à Santa Monica (Californie), et se spécialise en gynécologie et en médecine fonctionnelle. Le Hall Center est un lieu que j'apprécie et qui m'aide à me sentir en grande forme, à 55 ans. Dès ma première rencontre avec la D[re] Hall, j'ai su que j'étais en présence d'un médecin qui respecte ses patientes et les traite comme des êtres humains. Ses vastes connaissances sur la guérison intégrée à la médecine fonctionnelle l'ont non seulement placée à la frontière des avancées modernes en matière de ménopause et de thérapies de régénération, mais lui ont permis de m'aider à gérer mes hormones avec des moyens naturels, ce qui est très important pour moi.

Howard Liebowitz, MD, est directeur médical du Hall Center et se spécialise en médecine fonctionnelle, en médecine antivieillissement et en médecines internes parallèles. Pendant plus de 20 ans, il a travaillé comme urgentologue et spécialiste en traumatismes, et il était le directeur médical du Centinela Hospital Fitness Institute, responsable des analyses chez les athlètes professionnels.

Aujourd'hui, il se concentre sur une meilleure gestion de la santé grâce à la nutrition et sur les moyens d'atteindre une santé optimale et de ralentir le processus de vieillissement. Comme la D[re] Hall, et cela m'est apparu évident dès notre première rencontre, il se sent sincèrement concerné par ses patients. C'est grâce à ce qu'il m'a appris sur l'alimentation, les hormones et bien d'autres choses encore que je me sens heureuse et en pleine forme aujourd'hui.

Frank Lawlis, Ph. D., est psychologue, chercheur et spécialiste du sommeil. Il a également écrit quelques livres, dont *The Stress Answer* et *The IQ Answer*. J'ai connu Frank en 1975, alors qu'il était l'un des professeurs de Phillip au troisième cycle universitaire. Ils avaient un lien spécial et ils ont conservé une relation étroite. Cela m'a permis d'apprendre à connaître Frank et de bénéficier de ses conseils et de sa sagesse. Aujourd'hui, il est à la tête du conseil consultatif de l'émission *Dr. Phil* et son expertise a changé la vie de plusieurs invités, aussi bien que la mienne.

Matthew Vanleeuwen est un artiste du maquillage de Hollywood qui compte Heidi Klum, Scarlett Johansson, Salma Hayek, Kate Beckinsale et Mariska Hargitay parmi ses clientes célèbres. Sa main experte transforme les visages des grandes célébrités et des top-modèles. Son travail s'affiche sur les couvertures des plus grands magazines, dans des films de premier plan et à la télévision. Au fil des ans, il est devenu un ami qui a réalisé mon maquillage dans des occasions spéciales, comme le mariage de mon fils Jay. Ce que j'aime de Matthew, c'est que plutôt que de chercher à effacer les défauts d'un visage, il se concentre sur ses atouts. Quand il m'a dit qu'il adorait les pattes d'oie et qu'il les considérait comme un symbole d'expérience, j'ai su que c'était le début d'une charmante amitié.

Steven « Cojo » Cojocaru est un gourou de la mode et l'auteur de *Red Carpet Diaries : Confessions of a Glamour Boy* et de *Glamour, Interrupted : How I Became the Best Dressed Patient in Hollywood*. Lorsqu'un producteur de l'émission *Dr. Phil* m'a suggéré de travailler avec Cojo pour l'une de nos transformations, j'ai accepté avec plaisir ; et dès l'instant où nous nous sommes rencontrés, un lien spécial s'est établi entre nous. Bien qu'il travaille dans les hautes sphères pour *Entertainment Tonight* et qu'il côtoie de grands designers et d'importantes célébrités,

Cojo ne manque jamais de donner d'étonnants conseils de mode aux femmes ordinaires. Mais plus encore que son sens de la mode, son intelligence et son sens de l'humour, j'admire par-dessus tout la capacité de Cojo à faire face à l'adversité dans sa propre vie, car il a dû subir deux transplantations de reins, et il poursuit sa route vers le succès.

Lucie Doughty est coloriste auprès des célébrités et directrice de rédaction pour les produits Paul Mitchell. Je voulais teindre mes cheveux et j'ai demandé à Matthew Vanleeuwen s'il pouvait me recommander quelqu'un. Comme il travaillait constamment sur des plateaux de tournage ou pour des séances de photo, j'ai pensé qu'il connaissait peut-être la perle rare. J'avais raison. Après toutes ces années où j'ai expérimenté diverses colorations (et vous verrez au chapitre 6 que ça fait un long moment), Lucie a été la première coloriste à réaliser des nuances vraiment à mon goût. Comme il y a beaucoup de roux dans mes cheveux, je me retrouvais habituellement avec des mèches dorées ou cuivrées alors que je désirais un blond doux. Lucie a appliqué une couleur sur mes cheveux pour la première fois il y a trois ans, et je n'ai jamais eu envie de regarder ailleurs depuis.

Ce groupe de spécialistes m'a mise sur la voie d'une vie plus saine et plus heureuse, et j'espère que leurs conseils et mes expériences personnelles vous inciteront à entreprendre un parcours analogue. Je crois fermement que la santé est à la base de tout et que si vous vivez en pleine santé, vous pourrez vraiment vivre très heureuse. Tous les jours et à chaque instant, Dieu nous accorde une chance supplémentaire de vivre en santé. Alors, commençons ! Vous êtes d'accord ?

Le bien-être et la forme physique

C'était la veille de mon mariage et je me trouvais chez mes parents pour essayer ma robe devant une de mes sœurs. « Il faut que je perde du poids », ai-je dit en pinçant un bourrelet dans le haut de ma cuisse. « Regarde-moi ça ! » En jetant un coup d'œil à ma sœur, j'ai alors constaté avec étonnement que ses yeux s'étaient remplis d'eau.

« Robin, profites-en tandis que tu n'as que 3 kilos à perdre plutôt que 30 », m'a-t-elle répondu, triste et le visage défait : je n'oublierai jamais cette expression. Mes cuisses n'avaient qu'une quantité négligeable de graisse en trop, mais je savais ce que ma sœur cherchait à me dire. Elle s'était mariée à peine quatre ans auparavant et avait descendu l'allée, mince et radieuse dans sa belle robe blanche. Mais elle avait passé les années suivantes à faire ce que font tant d'autres femmes formidables : donner la priorité aux autres et passer en dernier. Les 18 kilos en trop qui pesaient maintenant non seulement sur son corps mais également sur son âme avaient miné son entrain naturel. Ses paroles et l'expression sur son visage me montraient la nécessité d'agir différemment et je me suis promis de le faire. J'étais ravie de me marier avec Phillip et enthousiaste à la perspective de ma nouvelle vie de couple, mais j'étais résolue à garder à l'esprit qu'il me fallait continuer à prendre soin de moi. Je me devais de le faire pour moi, mais aussi pour ma sœur.

Bien que la mort de ma mère, huit ans plus tard, m'ait vraiment amenée à intensifier mes efforts pour rester en bonne santé, ce moment avec ma sœur a été déterminant. Entre ma mère et mes trois sœurs aînées, j'ai grandi en étant consciente de mes antécédents génétiques et en voyant clairement de quelle façon j'allais vieillir si je ne m'occupais pas de moi. Toutes les quatre avaient des problèmes de poids et se négligeaient sur les plans physique et émotionnel. Pour sa part, mon père était très mince avec une masse musculaire dense, ce n'est donc pas un hasard si j'ai toujours été svelte. Mais l'hérédité aurait pu jouer contre moi, j'aurais tout aussi bien pu lutter toute ma vie pour ne pas prendre de poids, surtout après deux grossesses et à la ménopause. La raison pour laquelle je n'engraisse pas n'a rien à voir avec la chance et tout à voir avec beaucoup de transpiration… au sens littéral du mot. Je suis toujours étonnée d'entendre des femmes dire que ça ne les gêne pas d'être grosses puisque prendre du poids fait partie des choses normales de la vie. Je ne le crois pas un instant et je pense en être la preuve.

J'ai commencé à faire de l'exercice alors que j'étais encore dans la vingtaine et je sais que le résultat s'est fait sentir dans ma cinquantaine. De fait, à 55 ans, je vis l'une des périodes de ma vie où je me suis sentie le plus en forme et heureuse. Bien sûr, les muscles de mes jambes ne sont plus les mêmes, ma taille s'est légèrement épaissie et je pourrais toujours perdre un peu de poids puisque la caméra donne l'impression que j'ai six kilos de plus. (Je ne compte plus le nombre de personnes qui m'ont dit que je paraissais tellement plus mince en personne!) Le plus important, c'est que je sens que mon corps est à son meilleur pour *moi*. Je me sens solide et en forme et, par conséquent, j'ai un sommeil de plomb. Et j'adore avoir l'énergie dont je dispose, tout simplement parce que j'ai pris soin de moi. Cela dit, je ne suis pas obsédée par l'exercice. Je n'en fais pas le dimanche, ni en voyage ou en vacances et, certains jours, je ne supporte pas l'idée de lacer mes chaussures de tennis. Mais, en général, depuis mon mariage jusqu'à maintenant, j'ai fait de l'exercice de façon régulière et j'en perçois les bénéfices. Cela ressemble beaucoup à économiser de l'argent. En mettant de côté un dollar par-ci, un dollar par-là, avec les mois et les années, vous obtenez un résultat. Il en va de même de l'exercice.

Bien entendu, l'entraînement physique est important pour plusieurs raisons qui vont bien au-delà des triceps fermes et du ventre plat. L'exercice régulier ne me donnera pas seulement fière allure dans mon jean préféré, mais il me permettra de continuer, dans 5, 10, 15 ans ou plus, à être productive et active, capable de faire les choses que j'aime, comme jouer au tennis, voyager et courir après mes futurs petits-enfants. Si vous pensez comme moi, alors faire de l'exercice un élément régulier de votre rythme quotidien devient une nécessité.

De très nombreuses études suggèrent que l'exercice régulier peut réduire les risques de souffrir de maladies cardiaques, du cancer, de diabète et d'ostéoporose ; l'exercice peut aussi améliorer le taux de cholestérol, la tension sanguine, éviter l'insomnie et la dépression ; il peut encore, entre autres, fortifier le système immunitaire. L'exercice améliore l'humeur, car il stimule la production d'endorphines, des hormones du bien-être. Ça ne fonctionne peut-être pas pour tout le monde, mais lorsque je suis stressée ou débordée, rien ne vaut une bonne séance de conditionnement physique pour améliorer mon humeur, me calmer ou m'aider à voir plus clair. (De fait, c'est en faisant de la marche sportive que j'ai eu certaines de mes meilleures idées !)

C'est l'une des raisons pour lesquelles j'ai toujours encouragé Phillip à jouer au tennis après le travail. Certaines de mes amies me demandent « Comment peux-tu le laisser jouer si souvent au tennis ? ». Il ne s'agit pas d'une « permission ». En dehors du fait que je ne lui dis jamais ce qu'il doit ou ne doit pas faire (et vice-versa), je sais simplement que le tennis est la meilleure façon pour lui d'évacuer le stress et qu'il se sent tellement mieux après. (D'ailleurs, ne sommes-nous pas les premières à en profiter quand nos maris sont calmes et contents ?) Si toutes ces raisons ne suffisent pas encore à vous convaincre d'enfiler votre tenue d'exercice, cette autre raison vous décidera peut-être : en activant la circulation du sang, l'exercice contribue à donner un éclat de jeunesse à votre peau et à embellir votre teint.

À la manière de Robin

Phillip a gravé quelques CD pour moi et j'en ai transféré certains sur mon iPod. Mes trois interprètes préférées sont Tina Turner, Cher et Céline Dion, et j'écoute leurs chansons sur mon iPod, surtout les vieux classiques énergisants. J'ai également toutes les chansons gagnantes d'*American Idol* et j'écoute aussi des bandes sonores de films comme *Dreamgirls*.

Je connais un grand nombre de femmes qui se sentent égoïstes de prendre du temps pour elles-mêmes afin de faire de l'exercice, à l'écart de leur famille, de leur travail ou de leurs autres obligations. Mais comme je le répéterai souvent au fil de ces pages, il n'est pas égoïste de prendre soin de vous-même. Si vous allez marcher et que cela vous permet de tonifier votre cœur et de vivre plus longtemps afin de prendre soin de ceux que vous aimez, ce n'est pas égoïste. Si vous faites de l'exercice et que vous vous sentez plus svelte et solide et donc plus confiante en vous, ce n'est pas égoïste. Une mère, une épouse ou une amie plus confiante en elle et heureuse ne remplira que mieux son rôle. Et quand vous faites de l'exercice pour développer votre force physique afin de pouvoir donner un coup de pied au ballon, aller à vélo et jouer avec vos enfants, eh bien, je me demande qui pourrait prétendre que c'est égoïste.

Parfois, des femmes me disent que l'entraînement physique coûte trop cher ou elles croient que je suis en forme parce que je vis à

Hollywood et que j'ai accès à des entraîneurs personnels et à des salles de gym. C'est sans doute vrai *aujourd'hui*, mais cela n'a été vrai que pour les six dernières années, depuis que nous avons déménagé en Californie. J'ai fait de l'exercice bien avant de pouvoir me permettre d'acheter une bonne paire de chaussures de tennis ou un soutien-gorge de sport! Quand Phillip et moi nous sommes mariés, nous n'avions pas d'argent et nous vivions dans un appartement d'environ 160 mètres carrés. Le soir, je mettais mes pieds sous les pattes d'une petite table de cuisine en métal pour faire des redressements assis. D'autres fois, je transpirais en regardant les vidéos de Jane Fonda que j'avais empruntées à la bibliothèque. Des années plus tard, quand Jay, notre premier fils, est né, nous n'étions toujours pas très fortunés et nous n'avions guère plus d'espace. Mais je m'exerçais en montant sur un tabouret en bois une centaine de fois de suite. Cela ne me coûtait pas un sou, et même si ce n'était pas « chic », c'était de l'entraînement (et ça me valait les fous rires de Jay!).

Je suis persuadée que ces petits efforts dans ma vingtaine ont contribué à jeter les bases de la santé qui est la mienne aujourd'hui. En fait, la vingtaine est un moment idéal pour créer de bonnes habitudes et le plus tôt vous commencez, le mieux c'est. Un grand nombre de recherches le suggèrent, mais mon attention a été particulièrement attirée par une étude récente réalisée auprès de 65 000 femmes de la Washington University, à St. Louis. Des chercheurs ont découvert que les jeunes filles et les femmes qui ont suivi un entraînement entre 12 et 35 ans courent 23 % moins de risques de développer un cancer du sein avant la ménopause que celles du même âge qui n'ont pas fait d'exercice[1]. Sans compter que, à cet âge, la jeunesse jouant en votre faveur, votre corps est encore suffisamment souple pour se prêter à des activités nouvelles et différentes, et l'esprit, plus enclin à s'y mettre. C'est la clé, car expérimenter est la meilleure façon de trouver ce qui vous plaît. Et, croyez-moi, aimer l'exercice que vous avez choisi, c'est toute la différence entre persévérer et trouver un millier d'excuses pour arrêter.

Grâce à cet état d'esprit entreprenant de la vingtaine, j'ai découvert le tennis à l'âge de 26 ans. Je m'en souviens comme si c'était hier. Phillip rentrait du travail et je tenais Jay d'une main en passant l'aspirateur de l'autre. (J'entreprenais tout de cette façon à l'époque : je berçais Jay d'un bras et je faisais autre chose de l'autre.) « Je sais que si tu le pouvais, tu aurais ce bébé dans les bras toute la journée, disait Phillip, mais il faut que tu sortes un peu et que tu fasses quelque chose pour toi. » Il avait raison. J'adorais être une maman et une épouse et j'aurais pu y consacrer chaque minute de la journée, mais je savais qu'en dehors de ces rôles, je restais une femme. Et lorsque vous êtes une femme, vous devez prendre soin de vous-même.

J'avais toujours voulu jouer au tennis (Phillip était lui-même un ardent amateur depuis huit ans) et je me disais que c'était sûrement une façon agréable de garder la forme. Mais comme les leçons dans un club privé étaient trop chères pour notre budget, j'ai appelé à la Midwestern State University, une université des environs, et j'ai demandé à la faculté d'éducation physique si quelqu'un de l'équipe de tennis pouvait me donner des cours. Dès mon premier jour sur le court, j'ai eu la piqûre et j'ai commencé à jouer deux fois par semaine. Les leçons coûtaient seulement environ 10 dollars de l'heure et Phillip, mes parents ou mes beaux-parents s'occupaient de Jay. Afin de passer plus de temps sur le court et satisfaire mon côté compétitif, je me suis inscrite à des tournois dans la catégorie des débutants et j'ai adhéré à une équipe féminine locale. En plus de l'exercice intense que le tennis me procurait, j'aimais beaucoup ce temps pour moi seule et j'éprouvais un réel sentiment de confiance et d'épanouissement parce que j'apprenais quelque chose de nouveau. Je me suis fait quelques bonnes amies qui étaient aussi mes adversaires. L'histoire de mon premier tournoi illustre bien la façon différente d'aborder les choses chez les hommes et les femmes, mais c'est également un exemple de ce que j'aime dans l'exercice collectif.

Je jouais en simple contre une autre femme et nous avions gagné chacune une manche (moi, la première et elle, la deuxième). Nous en étions à la troisième manche, que j'ai perdue, quand Phillip, qui avait terminé son propre match sur un court adjacent, est venu me regarder jouer.

« Que s'est-il passé ? » m'a-t-il demandé.

« Eh bien, j'ai gagné la première manche et la deuxième a été plutôt serrée, ai-je expliqué. Avant la troisième, nous étions toutes les deux épuisées et affamées, alors nous avons fait une pause. J'ai partagé mon eau et ma barre de protéines avec ma partenaire, puis nous sommes retournées sur le court. »

« Tu as *partagé* ton eau et ton casse-croûte avec elle ? » a demandé Phillip.

« Oui. Peux-tu croire que la pauvre avait oublié d'apporter de l'eau et de quoi manger ? lui dis-je. Nous étions épuisées et j'étais contente d'en avoir assez pour deux. »

« Robin, on ne partage pas avec l'adversaire ! » a protesté Phillip.

« Quoi ? »

« Ton adversaire était affamée et n'avait plus d'énergie, et tu l'as nourrie et tu lui as donné à boire, ce qui explique qu'elle t'ait battue ensuite. »

« Oh, ça ne fait rien, lui dis-je. Elle était si gentille et c'est une maman elle aussi, alors nous avions beaucoup de choses à nous dire et nous avons passé un bon moment. » Oui, j'ai bien un esprit de compétition et je voulais gagner, mais l'exercice et l'aspect social du tennis étaient tout aussi importants pour moi. Chaque semaine, j'avais hâte non seulement d'avoir ma leçon, mais également de rencontrer les autres femmes pour discuter avec elles. Aujourd'hui, il existe tant de façons de trouver des gens avec qui faire de l'exercice. Vous pouvez essayer les ligues locales ou paroissiales (j'ai fait partie d'une équipe de balle-molle pendant quelque temps), les groupes d'entraînement dans les centres ou gymnases communautaires, ou encore les clubs de marche ou de jogging.

J'ai parlé à de nombreuses femmes dans la vingtaine et au début de la trentaine qui m'ont dit n'avoir pas besoin de faire de l'exercice parce qu'elles ont la chance d'avoir un métabolisme ultra-rapide. Elles font l'envie de leurs amies, car elles peuvent manger presque n'importe quoi sans jamais prendre un gramme. Mais il demeure qu'à compter de 30 ans, le métabolisme ralentit d'environ 2 % par décennie[2] ; par conséquent, même si le vôtre est rapide, cela ne signifie pas pour autant qu'il le restera éternellement.

Je déteste être celle qui vous annonce cette mauvaise nouvelle, mais je suis bien placée pour le savoir. La plus grande partie de ma vie, j'étais si maigre que je n'arrivais pas à prendre du poids, quelle que soit la quantité de nourriture que j'ingurgitais. Je me rappelle même avoir souhaité peser plus de 50 kilos pour ma graduation au secondaire ! Vers 35 ans, mon métabolisme a légèrement ralenti et j'ai pris du poids plus facilement. Cependant, grâce à la recherche que j'ai effectuée au début de la trentaine, je ne pense pas que mon métabolisme ait changé autant qu'il aurait pu. Avec la boule de cristal génétique dont je disposais (ma mère et mes trois sœurs aînées), j'ai cherché à savoir comment je pouvais conserver un bon métabolisme, et j'ai alors appris qu'il dépendait de trois choses importantes : l'exercice cardiovasculaire, l'entraînement musculaire et le rejet à tout prix des régimes yo-yo. Ce dernier point est essentiel et c'est ainsi que je n'ai jamais suivi de régime de ma vie. (Nous parlerons davantage des aliments et de la nutrition au chapitre 3.)

Quand venait le temps de l'entraînement cardio, il n'était jamais suffisant pour moi. Ma mère étant morte d'un infarctus, et conserver un cœur en santé me semblait absolument primordial. J'aimais vraiment beaucoup la marche sportive, les groupes d'aérobique et les exerciseurs du YMCA local. J'aimais aussi alterner la course pendant une minute et la marche pendant quatre minutes sur le tapis roulant ; nous nous en sommes finalement procuré un pour la maison. Comme nous n'avions pas beaucoup d'espace, je l'avais installé dans la salle de bain qui reliait la chambre de Jay à la chambrette de Jordan. Je l'avais placé de façon à faire face au miroir et j'avais également installé un petit téléviseur. Jay avait alors sept ans et Jordan venait de naître ; j'étais donc passablement occupée toute la journée. Le soir, je m'accordais un peu de temps. Je préparais le dîner puis, quand nous avions mangé tous les quatre, je confiais les enfants à Phillip et je montais sur le tapis pendant 45 minutes à 1 heure. Si mon mari était en voyage ou qu'il travaillait tard, ma belle-mère venait garder mes fils. Ce temps personnel était sacré et j'ai tout fait pour le conserver.

Des années plus tard, je me suis abonnée à un gymnase afin de pouvoir utiliser différents appareils pour les exercices cardiovasculaires. À 36 ans, j'ai remarqué que j'avais légèrement engraissé. Jusque-là, quand cela se produisait, je réduisais ma portion du dîner pendant quelques jours et les grammes disparaissaient. Mais, à mon grand regret, cette technique n'a plus fonctionné au milieu de la trentaine, alors j'ai décidé de faire encore plus de cardio que d'habitude. J'allais à la salle de gym tous les jours, je montais sur le simulateur d'escalier et je soufflais comme un bœuf durant plus d'une heure. Au bout de deux semaines, une entraîneuse du gymnase est venue vers moi.

« Est-ce que ça vous dérange si je vous pose une question ? »

« Bien sûr que non. »

« Quel est votre objectif exactement ? »

« Je veux perdre quelques kilos », suis-je arrivée à dire, péniblement, tout essoufflée que j'étais.

« C'est bien ce que je croyais », a-t-elle dit. Puis, elle a ajouté que *j'en faisais trop* pour perdre du poids. Pouvez-vous l'imaginer ? Elle m'a expliqué qu'il existe une « zone optimale d'entraînement », dont l'intensité se situe entre 65 et 85 % de notre fréquence cardiaque maximale. Lorsque vous vous trouvez à l'intérieur de cette zone, vous brûlez dans l'ensemble plus de calories et de graisses, et vous perdez alors du poids. Le moyen le plus précis pour savoir si vous vous trouvez dans cette zone (qui est différente pour chacun) consiste à utiliser un moniteur cardiaque. Mais même sans cela, l'entraîneur m'expliqua qu'elle savait que j'en faisais trop puisque j'arrivais à peine à tenir une conversation avec elle, tellement j'étais essoufflée. Dans la bonne zone, même légèrement essoufflée j'aurais encore été capable de parler. Mes exercices intenses étaient appropriés si je m'entraînais pour un marathon, m'a-t-elle dit, mais ils n'allaient certainement pas me permettre d'enfiler un jean ajusté à court terme. Sur une échelle de 1 à 10, 10 étant le point d'épuisement total et 1, aucun effort du tout, je pense que je me situais à 11 ou 12.

Le jour même, je suis allée acheter un moniteur cardiaque et, à partir de cet instant, j'ai réduit l'intensité de mes exercices afin de rester dans ma zone optimale, qui se situe entre 136 et 152. (Voir les pages 44 à 46 dans « Réponses du spécialiste » pour connaître la formule qui vous aidera à déterminer *votre* zone optimale.) J'aimais bien aussi faire des séances d'entraînement intensif — et j'en fais encore — c'est-à-dire qu'au bout de 4 minutes dans ma zone optimale, je me place durant 1 minute dans l'intervalle 170-180. Comme il s'agit d'une très brève période, cela stimule le métabolisme et brûle les graisses sans provoquer d'entraînement excessif. C'est ainsi qu'en moins d'une semaine, ces quelques kilos en trop ont commencé à disparaître !

J'ai raconté cette histoire à Robert Reames, mon entraîneur personnel et celui de Phillip depuis six ans et demi, qui est par ailleurs l'entraîneur officiel et le nutritionniste du Dr. Phil Ultimate Weight Loss Challenge. Il a également écrit un ouvrage sur le métabolisme, *Make Over Your Metabolism*[3]. Il a acquiescé et il a ajouté que c'était une erreur courante chez les femmes dans la vingtaine et la trentaine de se concentrer exagérément sur l'entraînement cardiovasculaire. Celui-ci est bien sûr excellent pour faire pomper le cœur et aider à brûler les graisses. Mais il y a un autre élément crucial pour toutes les femmes, quel que soit leur âge, et il s'agit du renforcement musculaire. Cela signifie qu'il faut apporter une certaine résistance à vos muscles et il y a plusieurs façons de le faire. La méthode la moins chère consiste à vous servir de votre propre poids en pratiquant les bonnes vieilles pompes, les accroupissements, les fentes et les tractions (rappelez-vous les cours de gymnastique scolaire). Une autre option serait de vous servir de poids et haltères (que vous pouvez remplacer par des boîtes de soupe ou par des bouteilles) ; la troisième méthode consiste à utiliser les appareils culturistes à contrepoids que l'on trouve dans les salles de gymnastique.

Conseil de Robin. À la fin d'un cours de conditionnement que j'ai suivi, le professeur avait l'habitude de nous dire : « Prenez quelques secondes pour remercier votre corps de son bon travail ». Je trouvais cela très puissant, car même quand j'étais très critique à mon égard (après avoir aperçu un petit bourrelet débordant de mon pantalon à la taille ou quand j'avais eu du mal à faire un exercice), cela me mettait dans un état de gratitude et d'appréciation de mes efforts. J'ai suivi ce cours il y a longtemps, mais encore aujourd'hui, je prends quelques minutes après mon entraînement et je ferme les yeux en remerciant mon corps de ses efforts. Je me concentre sur la façon dont mon corps m'a servi non seulement à faire un bon entraînement, mais également sur le fait qu'il a porté et créé deux beaux enfants. Dernièrement, je me suis aussi mise à remercier Dieu de m'accorder une bonne santé et de la force.

Un grand nombre de femmes craignent que l'entraînement musculaire ne fasse gonfler leurs muscles, mais demandez aux spécialistes et vous constaterez que c'est plutôt rare. C'est parce que les hommes possèdent beaucoup de testostérone qu'ils développent de gros muscles noueux, mais la majorité des femmes n'ont pas assez de cette hormone pour subir cette conséquence. L'entraînement musculaire tonifie et raffermit le corps féminin en plus de vous rendre la vie plus facile puisque la force que vous gagnez vous permet de transporter plus facilement vos sacs d'épicerie, soulever les enfants, sortir les poubelles ou déplacer le divan. Ce genre d'exercice augmente par ailleurs la densité osseuse, ce qui éloigne les risques d'ostéoporose.

J'ai commencé mon entraînement de renforcement musculaire au début de la trentaine, sur des appareils de contrepoids au YMCA local, et j'ai tout de suite aimé le nouvel aspect de mes muscles. J'appréciais également que leur tonicité me permette de conserver mon métabolisme au meilleur de sa forme.

Robert connaît une excellente façon d'expliquer comment cela fonctionne en parlant de combustion aiguë ou chronique des calories. La combustion aiguë réfère aux calories que votre corps élimine *pendant* que vous faites de l'aérobique et au cours des deux ou trois heures qui suivent. (Oui, vous continuez à brûler des calories même après avoir cessé vos exercices !) Mais lorsque vous tonifiez vos muscles, vous brûlez plutôt les calories par combustion chronique. Comme il faut davantage d'énergie pour développer et entretenir un muscle que pour conserver des graisses, vous brûlez sans cesse des calories, que vous soyez devant votre télé, assise à votre bureau ou même en train de dormir. De fait, pour 500 grammes de muscle gagnés, vous brûlez jusqu'à 40 ou 50 calories de plus par jour, ce qui constitue une stimulation du métabolisme particulièrement importante après 30 ans, un cap à partir duquel les femmes ont tendance à perdre 1 % de masse musculaire par année. En faisant un entraînement en force musculaire, vous préservez cette masse et en fabriquez davantage !

La grossesse est une autre raison pour laquelle les femmes prennent du poids dans la vingtaine puis dans la trentaine et le conservent souvent un an après l'accouchement. En effet, des études indiquent que même neuf ans après avoir mis un enfant au monde, la femme moyenne pèse environ six kilos de plus qu'avant sa grossesse. J'avais 26 ans quand j'ai été enceinte de Jay, et 33, quand j'ai porté Jordan. Mes deux grossesses ont été entièrement différentes, surtout parce que j'étais plus consciente de ma santé et que je faisais de l'exercice durant la seconde alors que ce n'était pas le cas durant la première.

Avant d'être enceinte de Jay, je travaillais à temps plein et je suivais des cours du soir ; or, je savais que j'avais besoin d'une pause avant de connaître le merveilleux monde de la maternité. Alors, quand j'ai su que j'attendais un bébé et que Phillip et moi avons estimé pouvoir nous en tirer financièrement même si je quittais mon emploi, c'est ce que j'ai fait. Mon seul objectif était de jouir pleinement des neuf mois à venir. Et j'en ai vraiment profité ! Après les trois premiers mois de nausées matinales, mon appétit habituel est revenu en force et j'ai cédé à toutes mes envies. Je mangeais des sucreries (ce que je préférais, c'était les tartelettes et la réglisse rouge), des burgers au fromage, du poulet frit et des combinaisons étranges comme des crêpes tartinées de beurre d'arachide. Je me rappelle, un soir où j'étais au restaurant avec Phillip, d'avoir commandé deux plats alors qu'il n'en prenait qu'un seul. (Mais étant le gentil mari d'une femme enceinte à l'humeur variable, il n'a pas fait de commentaire !) Puis, une grosse tornade a frappé notre ville et un couple d'amis intimes a perdu sa maison. Nous les avons hébergés et, comme la femme était également enceinte, nous avons passé beaucoup de temps, elle et moi, à bavarder et à manger. Comme vous pouvez l'imaginer, ces neuf mois de grande boustifaille m'ont fait gagner près de 36 kilos (oui, vous avez bien lu). C'est beaucoup pour n'importe quelle femme, mais cela semble encore plus quand vous ne mesurez que 1 m 63. Je me sentais lourde et sans cesse épuisée et, au cours du dernier mois, mes pieds étaient si enflés que, ne pouvant plus porter de chaussures, j'ai dû emprunter les sandales de plage de ma belle-sœur.

Ma seconde grossesse a été très différente. Je devais alors m'occuper d'un petit garçon de sept ans et j'étais devenue une fervente adepte de l'exercice, mon objectif étant d'être en aussi bonne santé que possible. Après avoir déposé Jay à l'école, je jouais au tennis trois matins par semaine (jusqu'au quatrième mois) et je faisais de la marche sportive dans mon quartier jusqu'au septième ou huitième mois. Phillip et moi prenions la voiture et établissions un parcours de deux ou trois kilomètres de marche (aujourd'hui, il est possible d'aller sur Internet pour prévoir ce genre de randonnée). Par conséquent, je n'ai pris que 15 kilos (ce qui correspond davantage à la moyenne de 11 à 16 kilos que les médecins recommandent pour une femme de taille normale). Aujourd'hui, les spécialistes conseillent aux femmes enceintes de faire de l'exercice pour plusieurs raisons : l'exercice réduit la fatigue et les nausées, procure une énergie plus que jamais nécessaire, améliore l'humeur, facilite le travail et l'accouchement et aide les femmes à se défaire du surplus de poids, une fois le petit chérubin arrivé. J'ai récolté tous ces bienfaits lors de ma seconde grossesse et je me sentais tellement bien ! J'avais de l'énergie à revendre !

Le conseil de Robin. Si vous manquez de temps et que vous n'arrivez pas à faire votre entraînement sur une base régulière, des études montrent que diviser les 30 minutes recommandées quotidiennement en 3 périodes de 10 minutes d'activité physique procurera les mêmes résultats, voire des résultats meilleurs qu'un entraînement d'une demi-heure en une seule séance. Pourquoi ? Parce que la durée plus courte de l'effort vous permettra d'atteindre un niveau supérieur d'intensité à chaque période de 10 minutes, et que votre organisme sera stimulé à différents moments de la journée.

Alors que Jay et Jordan étaient encore tout petits, j'ai voulu souligner l'importance d'une bonne forme physique. Je me suis dit qu'en prenant conscience de la place accordée à l'exercice physique au sein de la famille, mes enfants le considéreraient comme faisant normalement partie de la vie et qu'ils seraient plus susceptibles de s'y adonner eux-mêmes. C'était important pour moi, car l'obésité est courante dans la famille de Phillip et ma mère est décédée d'un infarctus. Par conséquent, mes deux fils ont pratiqué plusieurs sports durant leur scolarité — du baseball au basket-ball en passant par la crosse — et, maintenant qu'ils sont dans la vingtaine, poursuivent toujours cet effort. Jordan s'entraîne environ 5 fois par semaine (il mange aussi plus sainement que tous les jeunes gens de 22 ans que je connais) et Jay joue au tennis et au golf.

Si j'ai continué à faire de l'exercice dans la quarantaine, quelques-unes de mes partenaires de marche et de tennis ont diminué la cadence ou ont cessé complètement. Elles avaient alors fort à faire pour s'occuper de leurs enfants *et* de leurs parents, tout en jonglant au mieux avec leur vie de couple, leur carrière et leur vie sociale. Plusieurs d'entre elles s'étonnaient que je poursuive mon rythme d'entraînement, alors que pour leur part, elles n'en avaient pas l'énergie. J'étais tout aussi occupée, mais pour moi, l'exercice est et a toujours été une source de cette énergie dont j'ai besoin pour fonctionner dans ma vie trépidante. Ce qui est intéressant, c'est que, selon une nouvelle étude faite par l'Université de Georgie, l'exercice de faible intensité pourrait être ce dont nous avons besoin pour nous sentir en meilleure forme. Au cours de cette étude, les participantes ne faisaient que 20 minutes d'exercices peu intenses, mais pouvaient rapidement constater que leur niveau de fatigue avait diminué de 65 % et que leur énergie avait augmenté de 20 % ! À l'époque, mon exercice préféré était la marche. Chaque matin, après avoir conduit les enfants à l'école, je marchais dans le quartier, seule ou avec des amies. D'autres fois, je jouais au tennis.

Alors que j'avais 48 ans, on a proposé à Phillip d'animer sa propre émission, et nous avons déménagé du Texas à Beverly Hills. Soudainement, je me suis mise à assister à tous les enregistrements (je n'en ai jamais manqué un seul), faisant aussi de nombreux aller-retour avec Jordan, alors âgé de 15 ans, pour l'amener à l'école et à ses activités parascolaires. Tout à coup, ma marche de la matinée ne pouvait plus s'inscrire dans cet horaire. Cela arrive constamment à toutes les femmes. Nos vies changent et, bien que ce soit décourageant, nous devons réévaluer nos priorités et apporter quelques modifications. Il aurait été facile de laisser tomber mon entraînement, mais je savais à quel point j'en avais besoin pour ma santé physique et mentale. Cela a été difficile au début, mais j'ai décidé de me lever à 5 h — une heure plus tôt que d'habitude — et d'utiliser mon tapis roulant. Il y a eu de nombreux matins où j'ai vraiment eu du mal à sortir de mon lit douillet, mais je savais que si j'arrivais à traverser les 15 premières minutes, ça irait mieux ensuite. Je ne sais trop pourquoi, mais quelque chose se passe quand j'arrive à la seizième minute qui fait que je franchis un cap et que je pourrais alors rester sur le tapis durant des heures. Je faisais d'abord un réchauffement puis des intervalles de marche de quatre minutes suivis d'une minute de course (c'est ce qu'on appelle un entraînement par intervalles). Pour moi, courir pendant une heure n'est pas un exercice que je pourrais ou aimerais faire. Alors que courir une ou deux minutes toutes les quatre minutes me semble plus facile et moins dur pour mes articulations. Je me disais : « Tu peux faire tout ce que tu peux pendant une minute », puis je m'accordais un peu de répit en marchant quatre minutes. C'est un bon moyen d'augmenter les battements cardiaques et ça permet de brûler davantage de calories qu'en s'entraînant toujours au même rythme.

Je cherche toujours à éviter l'ennui — dans mon esprit et dans mon corps — en mettant de la variété dans mon entraînement, et c'est ainsi que, dans la cinquantaine, j'ai entrepris des cours Pilates. Créée au début du XXe siècle par le danseur Joseph Pilates, cette méthode se concentre sur les muscles principaux, l'alignement de la colonne vertébrale et une respiration profonde. On nous enseigne à utiliser la respiration et l'esprit pour provoquer des changements dans notre corps, et tous les muscles, de la tête aux orteils, sont mis à contribution. J'ai vu mon ventre s'aplatir, mes bras prendre un nouveau tonus et mes fesses remonter. (Pas aussi haut qu'avant, mais je m'en réjouis quand même.) Ma posture s'est également grandement améliorée.

Le conseil de Robin. Une mauvaise posture vous fait paraître plus vieille et plus lourde, tandis qu'une bonne posture vous fait paraître plus mince d'au moins trois kilos. Un exercice Pilates peut vous aider à vous tenir plus droite : placez vos bras derrière le dos, joignez vos mains et tirez vers le bas afin que vos épaules basculent vers l'arrière et s'abaissent. Cet exercice m'a été grandement bénéfique, et à Phillip aussi. Un jour qu'il s'avançait sur le plateau durant l'enregistrement d'une émission, j'ai constaté qu'il était légèrement voûté, ce qui le faisait paraître plus vieux que son âge. Le lendemain, je l'ai encouragé à prendre des leçons Pilates avec moi. À peine quelques mois plus tard, lorsque je l'ai regardé entrer au *Tonight Show*, il avait l'air 10 ans plus jeune et semblait peser 6 kilos en moins.

Tout au long de mon parcours pour me tenir en forme, je n'ai jamais eu peur d'essayer de nouvelles choses et de me mettre au défi. Je pense que c'est la clé pour éviter l'ennui et demeurer alerte. C'est certainement ce qui m'a permis de poursuivre mon effort durant tout ce temps. C'est ainsi que j'ai récemment troqué mes séances d'entraînement cardiovasculaire sur le tapis contre la savate (boxe française). J'ai choisi cette activité à la suite d'une suggestion de mon entraîneur. J'ai vraiment été surprise d'aimer autant ma première leçon et de constater des résultats notables après seulement trois semaines passées à frapper avec les poings et les pieds (avec une bonne dose de sueur). Après avoir mis de côté le tennis pendant 10 ans, j'ai aussi repris ma raquette. L'important n'est pas tellement l'activité que vous choisissez pour vous entraîner, mais plutôt de faire quelque chose. Se maintenir en forme doit faire partie de votre vie, que ce soit par l'exercice ou par des changements d'habitudes, comme prendre l'escalier plutôt que l'ascenseur, stationner loin de l'épicerie, prendre le vélo ou marcher pour aller faire vos courses.

J'ai bien l'intention de poursuivre mon entraînement jusqu'à un âge avancé. Si vous lisez ce livre alors que vous avez 50, 60, 70 ans ou plus, je veux que vous sachiez que vous *pouvez* commencer à vous entraîner dès maintenant, même si vous ne l'avez encore jamais fait. Et je ne suis pas la seule à l'affirmer. Des études le prouvent. L'une d'elles provient du Weill Cornell Medical Center à New York, où l'on a observé que des adultes qui n'avaient pas commencé à manger sainement et à faire de l'exercice avant 65 ans ou plus réduisaient tout de même les risques de maladie cardiaque, de cancer et d'ostéoporose en s'y mettant tardivement[4]. Un autre sondage effectué par l'Université du Wisconsin auprès de 15 000 femmes âgées de 20 à 69 ans a révélé que celles qui faisaient de l'exercice au moins 6 heures par semaine réduisaient de 23 % les risques d'un cancer du sein invasif (chez les femmes n'ayant pas d'antécédents familiaux de la maladie)[5]. Ce que je trouve intéressant, c'est que les chercheurs ont constaté cet effet protecteur, que les femmes aient fait de l'exercice tôt dans leur vie ou seulement après la ménopause. Leur message est donc explicite : il n'est jamais trop tard pour commencer à faire de l'exercice. Et vous avez la bénédiction de plusieurs spécialistes pour le faire. Après tout, si vous êtes dans la soixantaine ou que vous êtes septuagénaire, c'est peut-être la première fois de votre vie que vous êtes en mesure de vous concentrer sur vous-même. Il est certain que je pense que l'on doit prendre soin de soi le plus tôt possible, mais je crois aussi que, quel que soit votre âge, aujourd'hui est le premier jour du reste de votre vie. Alors, pourquoi ne pas démarrer du bon pied ?

Je me rends compte qu'introduire des moments dans votre emploi du temps pour vous mettre en forme est plus facile à dire qu'à faire. Voici quelques procédés qui m'ont aidée à leur préserver une place prioritaire dans ma vie.

À la manière de Robin

Voici un exemple typique de mon programme d'entraînement hebdomadaire. Il peut cependant varier, à la suite d'un changement dans mon horaire ou au gré de mon humeur. (Si une forme d'exercice commence à m'ennuyer, je n'hésite pas à essayer autre chose.)

- *Lundi, jeudi et vendredi :* séances Pilates et aérobique sur l'appareil Precor ou le tapis roulant.
- *Mardi et mercredi :* comme ce sont les jours d'enregistrement, je ne m'entraîne pas. Mais s'il s'agit d'une semaine où il n'y en a pas, je prends parfois une leçon de tennis. Le beau temps en Californie donne envie d'aller dehors.
- *Samedi :* séance d'entraînement complet avec Robert Reames. (Voir un exemple de cet entraînement à la page 36.)
- *Dimanche :* repos.

Planifiez vos périodes d'exercice. La vie prend facilement le dessus et si vous ne vous prévoyez pas de temps pour faire de l'exercice, personne ne le fera pour vous. En effet, comme le dit si bien mon entraîneur,

Robert Reames, « C'est la vie ! » J'ai pris l'habitude, le dimanche, d'examiner mon emploi du temps de la semaine et d'inscrire dans mon BlackBerry les jours et les heures où je vais m'entraîner. De cette façon, cela devient une obligation au même titre qu'une réunion ou un enregistrement d'émission, sans compter que je risque moins de prévoir autre chose à la même heure ou d'oublier.

Faites équipe. Souvent, s'entraîner avec quelqu'un d'autre augmente les chances de persévérer. Vous pouvez opter un entraînement en commun avec une amie avec qui vous pourriez marcher tous les matins, ou avec une collègue qui serait d'accord pour vous accompagner à la salle de gymnastique à l'heure du déjeuner. Vous pouvez aussi choisir de vous joindre à un groupe de femmes ayant la même motivation et participer avec elles à une séance d'aérobique. J'ai toujours aimé la marche sportive avec des amies et aujourd'hui, ma bru et moi prenons des leçons de tennis et de Pilates ensemble. Même de jeunes enfants peuvent devenir des partenaires formidables pour faire de l'exercice. Je me rappelle avoir fait de la marche rapide avec Jordan dans sa poussette. Quand mes fils ont grandi, ils roulaient à vélo pour m'accompagner. Bien entendu, vous pouvez aussi frapper un ballon dans votre jardin ou simplement jouer au chat avec vos enfants pour augmenter votre fréquence cardiaque (non seulement vous leur donnez alors l'exemple, mais vous créez aussi des souvenirs impérissables pour eux).

Consultez des spécialistes. Tout le monde n'a pas les moyens d'engager un entraîneur personnel, mais investir dans quelques séances avec un spécialiste pour cibler les exercices qui vous aideront à atteindre vos objectifs, en vaut vraiment la peine. Si vous n'avez pas les moyens de faire appel à un entraîneur, adressez-vous à une amie ou à une collègue hautement motivée par l'entraînement physique (ou même à une femme dont vous avez admiré la performance en salle d'entraînement). Il est probable que cette personne sera tellement flattée d'être perçue comme une spécialiste qu'elle sera ravie de vous offrir ses conseils pour vous aider à démarrer.

À la manière de Robin

Voici un exemple de l'entraînement complet que j'exécute avec Robert :

- Cinq minutes de réchauffement en marchant sur le tapis.
- Étirements de base pour les épaules, le dos et les jambes.
- Développés de poitrine au moyen de poids de 7 kg, en position allongée sur un ballon. Trois ou quatre séries de 12 à 15.
- Exercices sur le ballon au moyen de tubes pour la résistance. Trois séries de 12 à 15.
- Développés en soulevant au-dessus de la tête des haltères de 3 à 4 kg. Trois séries de 12 à 15.
- Flexions des triceps au moyen d'un banc. Deux ou trois séries de 15.
- Flexions des bras en soulevant des haltères de 3 à 4 kg. Trois séries de 12 à 15.
- Quatre ou cinq sprints de 30 secondes sur le tapis à au moins 10 km à l'heure.
- Accroupissements de base en tenant des haltères de 3 à 4 kg. Trois séries de 15.
- Fentes de base en tenant des haltères de 3 à 4 kg. Trois séries de 15 sur chaque jambe.
- Flexions des abdominaux, en position allongée sur le ballon. Une ou deux séries de 20.
- Flexions des abdominaux avec rotation latérale, en position allongée sur le ballon. Une ou deux séries de 20.
- Exercice de pédalage, en position allongée sur un matelas. Une ou deux séries de 24.
- Exercice *Superman*, à plat ventre sur un matelas. Deux ou trois séries en gardant la position 10 secondes (c'est-à-dire garder les bras et les jambes le plus haut possible).

- Retour au rythme normal en faisant 3 à 5 minutes d'étirements des épaules, du dos et des jambes, en maintenant chaque étirement durant 15-20 secondes.

Prenez des notes. Comme je suis très organisée, j'adore faire des listes et prendre des notes. Tout ce qui concerne la forme physique ne fait pas exception. Non seulement je planifie ma semaine et l'horaire de mes entraînements, mais j'indique également ce que j'ai fait et comment je me suis sentie. Je le fais avec davantage de plaisir que de rigueur, mais je constate que cela m'aide les jours où je rechigne un peu à faire de l'exercice. Je consulte alors mes notes et je peux voir le bien-être qu'un entraînement m'a procuré. Ces notes se révèlent également utiles lorsque mon pantalon me semble un peu plus étroit, car en les parcourant, j'en vois un peu mieux le motif (par exemple : quatre jours sans entraînement ou une semaine sans exercices cardiovasculaires) et je peux aussi observer ce qu'était ma routine quand je me sentais en meilleure forme.

Parlez aux autres de votre nouveau programme d'entraînement. Faire part aux autres de votre stratégie pour rester en forme vous aide à y demeurer fidèle. En effet, si vous en parlez à votre mari, à vos partenaires de tennis, à vos collègues de travail ou même à la caissière de l'épicerie, ils s'en informeront par la suite. Un jour de bridge, vous serez moins encline à esquiver votre entraînement quotidien, car vous savez que vos partenaires vous poseront des questions, et si vous n'êtes pas sortie du lit un matin d'entraînement, votre mari le saura. Dans mon cas, je réussis mieux ce que j'entreprends lorsque je dois rendre des comptes. Ainsi, quand j'essayais de perdre les 36 kilos que j'avais pris au cours de ma première grossesse, j'ai décidé de parier 100 $ avec Phillip que ce serait réalisé avant Noël (c'est-à-dire trois mois et demi plus tard). Phillip a craint que je sois déçue si je ne perdais pas tout ce poids aussi rapidement, mais moi je savais que de lui avoir faire part de mon intention à voix haute me procurerait la motivation dont j'avais besoin. Et cela a réussi. Une semaine avant Noël, j'avais retrouvé mon poids de jeune fille.

Fixez un objectif. Définir un but est motivant, car vous vous efforcez alors de l'atteindre. L'objectif précis peut tout aussi bien être de perdre deux kilos que de courir cinq kilomètres ou simplement d'améliorer votre condition physique. Le but que je m'étais fixé pour Noël était le coup de pouce dont j'avais besoin. Jusque-là, quand le bébé pleurait la nuit et que je réchauffais son biberon, j'en profitais pour avaler toute une boîte de biscuits. Quand j'ai établi cet objectif à court terme pour les fêtes, cela m'a vraiment aidée à me défaire de cette vilaine habitude des biscuits. En plus d'avoir des buts à long terme, il est important d'en établir certains à court terme. Parfois, je les définis pour une semaine ou une journée à la fois et je me dis : « Cette semaine, je ferai mon entraînement musculaire trois fois » ou « Aujourd'hui, je vais courir deux minutes de plus qu'hier ».

Réponses du spécialiste

Robert Reames, CSCS, D, CN, RTS1, CPT, entraîneur personnel et nutritionniste, entraîneur et nutritionniste officiel du Dr. Phil Ultimate Weight Loss Challenge, auteur de *Make Over Your Metabolism* et créateur de la série de DVD Robert Reames Lifestyle Transformation System.

L'idée d'entreprendre un programme de remise en forme me semble insurmontable. Par quoi puis-je commencer ?

Les gens cherchent toujours le moyen magique de perdre du poids et de retrouver la forme. Or, le seul qui fonctionne, c'est l'engagement personnel dans ce projet. Prenez dès maintenant la décision d'intégrer l'activité physique dans votre vie. Faites-vous la promesse que, quoi qu'il arrive, vous ferez de l'exercice au moins trois fois par semaine et que vous deviendrez physiquement plus active dans votre vie quotidienne (par exemple, en prenant l'escalier plutôt que l'ascenseur ou en rapportant votre chariot à l'épicerie au lieu de le laisser dans le stationnement).

Faites l'inventaire des options de remise en forme dont vous disposez. Par exemple, y a-t-il un parc ou une école dotée d'une piste, près de chez vous ? Avez-vous une voisine qui marche tous les matins et que vous pourriez accompagner ? Possédez-vous un lecteur de cassettes ou de DVD qui vous permettrait d'emprunter des enregistrements de séances d'exercices à la bibliothèque ou d'en louer au vidéoclub ? Avez-vous un abonnement dans une salle d'entraînement, que vous n'avez pas utilisé depuis un certain temps ?

Commencez par un effort modéré et acceptez que cet effort soit suffisant à ce stade. Vous pourrez toujours en rajouter. Par exemple, s'il ne vous est possible de faire qu'un seul tour du pâté de maisons ou de ne courir que pendant cinq minutes, c'est très bien. La prochaine fois, vous pourrez en faire deux fois le tour ou vous pourrez courir six ou sept minutes. Prenez conscience de vos progrès et soyez fière de vos efforts.

Je veux commencer à faire de l'exercice dès que possible. Pouvez-vous me suggérer un bon programme pour débuter ?

Commencer dès maintenant, tandis que vous êtes motivée, est une riche idée. Voici un entraînement de 15 minutes que vous pouvez faire presque n'importe quand et n'importe où. Il se peut que vous n'arriviez pas à terminer tous les exercices indiqués, mais faites-en votre objectif. Contentez-vous de faire tout ce qu'il vous est possible de faire aujourd'hui et essayez de nouveau demain.

- Une ou deux minutes : réchauffement en marchant sur place. La première minute, balancez les bras. La deuxième, levez-les au-dessus de la tête.

- Étirements latéraux avec le talon levé. Levez le bras droit et penchez-vous vers la gauche, en levant le talon droit. Puis, faites de même vers la droite, le bras et le talon gauches levés. Alternez durant 30 à 60 secondes.
- Durant 30 à 60 secondes : sauts avec écart latéral des bras et des jambes. Pour atténuer l'impact sur les articulations, alternez en gardant un pied à terre, tandis que les bras accomplissent leur mouvement vers le haut.
- Deux séries de 10 à 15 pompes contre le mur. Tenez-vous à distance d'un bras devant le mur et placez-y les mains à hauteur des épaules. Pliez les bras en rapprochant le haut du corps vers le mur. Par la suite, vous pourrez essayer de les faire au sol, sur les genoux en progressant jusqu'à pouvoir faire des pompes conventionnelles à plat ventre, mains et pieds au sol.
- Deux séries de 10 à 15 accroupissements avec chaise. Tournez le dos à une chaise, les pieds écartés à la largeur des épaules et les bras le long du corps, accroupissez-vous comme si vous vouliez vous asseoir sur la chaise, en vous assurant que vos genoux sont bien vis-à-vis des deux premiers orteils, mais qu'ils ne dépassent pas les pieds. Pliez les genoux le plus loin possible, mais pas au-delà d'un angle de 90 degrés. Au fur et à mesure de vos progrès, vous pourrez tenir des haltères ou deux bouteilles d'eau pour augmenter votre résistance.
- Faites deux ou trois séries de 10 tractions sur chaise. Asseyez-vous bien droit au bord d'une chaise robuste, les mains de chaque côté des cuisses et les paumes face à la chaise. Soulevez les fesses, jambes fléchies et chevilles dans l'alignement des genoux. Pliez les coudes de façon qu'ils forment un angle de 90 degrés (ou presque), faites une pause puis revenez au point de départ sans vous asseoir sur la chaise. Au moment où vous pliez les coudes, gardez le dos le plus près possible de la chaise.
- Faites deux séries de ponts au sol. Allongez-vous sur le dos, jambes fléchies et pieds à plat. Enfoncez les pieds dans le sol

en soulevant les hanches, faites une pause et redescendez le corps au sol. Lorsque vous aurez accompli des progrès suffisants, vous pourrez faire le pont avec les pieds surélevés sur une chaise ou sur un banc.

- Faites trois séries de 15 redressements. Allongez-vous sur le dos, genoux repliés et pieds à plat. Pliez les bras et placez vos mains derrière la tête. Soulevez lentement le haut du corps de façon que les clavicules ne touchent pas le sol, faites une pause puis revenez au point de départ, mais sans poser le corps complètement sur le sol.

- Trois à cinq minutes : marchez sur place en levant et baissant les genoux et les bras, tout en vous tenant bien droite.

Comment mesurer mes progrès ?

Vous pouvez monter sur un pèse-personne, vous pouvez aussi prendre des mesures de votre corps. Certaines personnes aiment bien se servir d'un vêtement, comme un pantalon ou leur jean favori, pour vérifier régulièrement d'éventuelles modifications de leur corps. Vous pouvez aussi faire un test de base pour établir votre niveau de forme actuel, puis le répéter à intervalle d'un ou deux mois pour vérifier le degré d'augmentation de votre force. Voici comment procéder :

- Pendant une minute, comptez le nombre d'accroupissements avec chaise que vous pouvez accomplir. Tournez le dos à une chaise, les pieds écartés, alignés à la largeur des épaules et les bras le long du corps. En mettant le maximum de votre poids sur les talons, accroupissez-vous comme si vous vouliez vous asseoir sur la chaise, mais redressez-vous pour reprendre une position debout dès que vos fesses effleurent le siège (au lieu de réellement vous asseoir).

- Pendant une minute, comptez le nombre de pompes que vous pouvez faire. Si vous n'arrivez pas à faire les pompes conventionnelles, c'est-à-dire allongée face au sol sur les mains et les orteils en abaissant le corps jusqu'à ce que la poitrine touche le sol, alors faites-les debout contre un mur, à une longueur de bras, les mains écartées à la largeur et à hauteur des épaules.

- Marchez ou courez environ un kilomètre et demi aussi vite que vous le pouvez.
- Vérifiez votre équilibre en vous tenant sur une jambe et en vous chronométrant. Faites la même chose sur l'autre jambe. Tentez d'atteindre l'objectif de trois minutes sur chaque jambe.

Quelles solutions économiques puis-je utiliser pour mes activités physiques quotidiennes ?

- Servez-vous de bouteilles d'eau ou de pichets comme haltères pour faire vos mouvements de force musculaire.
- Utilisez un escalier intérieur ou extérieur pour vos montées sur marche.
- Escaladez un escalier rapidement ou en courant, 5 à 10 fois.
- Marchez autour du terrain durant l'entraînement sportif de vos enfants. Invitez d'autres mamans à se joindre à vous pour occuper le temps.
- Empruntez des vidéos pour l'entraînement physique à la bibliothèque ou louez-en dans un vidéoclub.
- Profitez de la pause du déjeuner pour aller marcher d'un bon pas durant 10 minutes.
- Demandez à vos collègues de tenir des réunions où l'on marche (où vous pouvez déambuler et discuter en même temps) plutôt que de longues séances assises. (Bouger permet de garder tout le monde alerte plus longtemps.)
- Quand il fait froid, prenez la voiture jusqu'au centre commercial et marchez d'un bon pas à l'intérieur. (Lécher les vitrines aide à faire passer le temps.)

Mon ventre ressemble à celui d'un kangourou depuis mon accouchement. Quelle est la meilleure façon d'y remédier ?

D'abord, sachez qu'il n'existe aucun moyen de brûler des graisses dans une seule région du corps. En revanche, les activités aérobiques — comme la marche rapide, la course ou la montée d'escaliers — vous aideront non seulement à augmenter votre force musculaire mais elles vous débarrasseront des graisses superflues dans tout le corps, ventre compris. Vous devrez aussi renforcer les abdominaux qui se trouvent sous la graisse. Commencez par les trois exercices suivants :

Trouvez vos assises. En vous tenant bien droite, assise ou debout, rentrez votre ventre tout en relevant le plancher pelvien. Maintenez la position pendant cinq secondes. Faites 2 séries de 10. Cela vous aidera à accéder aux muscles abdominaux profonds qui forment la base de vos muscles principaux et les tonifient. Il est facile de faire cet exercice n'importe où : en voiture, quand vous attendez en ligne à l'épicerie, à la banque ou même assise, pendant une réunion. Personne n'en saura rien !

La bicyclette. Allongez-vous sur le dos, bras pliés et mains derrière la tête. Repliez la jambe gauche vers le coude droit en tordant le haut du corps vers la gauche. Ensuite, étirez la jambe gauche, puis repliez la droite vers le coude gauche en tordant le haut du corps vers la droite. Faites 2 séries de 20.

Le Superman. Allongez-vous à plat ventre, bras et jambes bien étirés. Levez les bras et les jambes en même temps et tenez pendant 10 secondes. Répétez deux fois.

Comment savoir si mon effort est suffisant ?

Bonne question ! Puisque vous allez consacrer du temps à faire de l'exercice, autant en tirer le maximum de profit. Voici deux options.

Moniteur cardiaque. Ce gadget coûtait très cher autrefois, mais plus aujourd'hui. Il en existe toute une gamme, des modèles de base, qui mesurent le temps et le rythme cardiaque, jusqu'aux modèles les plus sophistiqués. Voici comment l'utiliser :

- Comme il l'a été mentionné plus tôt dans ce chapitre, si vous souhaitez brûler le maximum de graisses et de calories pendant un entraînement cardiovasculaire, il vous faut connaître votre fréquence cardiaque au repos et votre rythme maximal pendant l'exercice. Ainsi, vous pourrez calculer votre zone optimale d'entraînement, qui se situe entre 60 et 85 % de votre rythme cardiaque maximal.

- La façon la plus précise et efficace de connaître cette fréquence au repos consiste à la mesurer au réveil, après une bonne nuit de sommeil. Faites-le avant de sortir du lit et de commencer à vaquer à vos occupations. Le rythme cardiaque au repos augmente avec l'âge et il est habituellement plus bas chez les personnes en bonne forme physique. On peut donc affirmer que plus vous êtes en forme, quel que soit votre âge, plus votre rythme cardiaque au repos sera bas. Il est possible de le mesurer avec un moniteur cardiaque, mais vous pouvez aussi prendre votre pouls (placez la main là où l'on sent la pulsation, comptez les battements durant 10 secondes, puis multipliez par 6 pour obtenir leur nombre par minute). La seconde méthode n'est pas aussi précise, mais représente tout de même une bonne indication.

- Servez-vous ensuite de ce nombre pour calculer votre zone optimale d'entraînement, c'est-à-dire celle qui vous permettra de maximiser tout à la fois la quantité des calories et des graisses brûlées durant un entraînement. Voici la formule à utiliser :
  220 – votre âge = votre rythme cardiaque maximal

Soustrayez le nombre de battements au repos de votre rythme cardiaque maximal pour obtenir votre réserve de force du cœur.

Multipliez cette réserve par le pourcentage que vous avez choisi pour votre entraînement. Additionnez votre rythme au repos.

- Vous trouverez ci-dessous un exemple d'équation. Il concerne une personne de 32 ans dont le pouls au repos est de 68 battements par minute et qui s'entraîne dans un intervalle se situant entre 65 et 75 %.

220 - 32 = 188

188 - 68 = 120

120 × 0,65 (%) = 78

78 + 68 = 146 bpm (battements par minute)

120 × 0,75 (%) = 90

90 + 68 = 158 bpm

- Selon ces données, la zone optimale d'entraînement de cette personne se situerait entre 146 et 158 battements par minute. À titre de recommandation générale, sachez que vous brûlerez globalement plus de calories et de graisses à des niveaux d'intensité plus élevés atteignant au maximum 85 %. À moins d'être un athlète d'élite qui se prépare en vue d'un événement précis, il n'y a pas lieu et il serait même contre-productif de brûler des graisses en dépassant ce seuil de 85 %.

Échelle de Borg de perception de l'effort. Si vous n'avez pas de moniteur cardiaque, vous pouvez quand même mesurer l'intensité de votre entraînement au moyen de ce qu'on appelle l'échelle de Borg de perception de l'effort. (D'ailleurs, même si vous possédez un moniteur cardiaque, il s'agit là d'un autre moyen fiable pour juger de vos progrès au quotidien.) Cela peut sembler complexe, mais c'est en fait très simple. L'effort perçu est la perception subjective de l'intensité du travail accompli au moment de l'entraînement. Comme vous le verrez ci-après, l'échelle de Borg attribue des nombres aux différents niveaux d'effort que nous croyons fournir.

Si l'on veut se trouver dans la zone optimale permettant de brûler le plus de graisses et de calories dans tout le corps, il faut s'entraîner dans l'intervalle de 65 à 75 % de notre rythme cardiaque maximal, ce qui correspond approximativement aux gradations de 12 à 15 sur l'échelle de Borg. Un travail à 85 % de votre rythme cardiaque maximal représenterait environ 17 sur cette échelle. Tout chiffre supérieur indiquerait que vous en faites trop (et que vous n'êtes plus dans votre zone optimale).

Échelle de Borg de perception de l'effort

6 Aucun effort
7 Extrêmement léger (7,5)
8
9 Très léger
10
11 Léger
12
13 Légèrement difficile
14
15 Difficile (laborieux)
16
17 Très difficile
18
19 Extrêmement difficile
20 Effort maximum

Source : Center for Disease Control[6]

3

Le bien-être et l'alimentation

Après avoir terminé un entraînement éreintant, je faisais des courses à la pharmacie lorsque j'aperçus Jim Hrncir (prononcer « hernsir »), le pharmacien et un ami de la famille.

« Robin, je t'ai vue à la salle de gym ce matin et j'ai trouvé que tu travaillais fort, a-t-il dit. Tu as l'air en grande forme. »

« Oui, je m'entraîne beaucoup, dis-je, en sortant une boîte de bonbons de mon sac pour en glisser quelques-uns dans la bouche. Sauf que malgré mes efforts, je n'arrive pas à me défaire de ce bourrelet à la taille. » Je lui montrai alors le bourrelet en question, apparu ces dernières années, et qui s'obstinait à rester en place sur la silhouette de mes 46 ans.

« Je peux te dire précisément pourquoi tu n'arrives pas à t'en débarrasser, répondit Jim en pointant du doigt les bonbons. Le sucre est un poison pour l'organisme et comme le corps ne sait qu'en faire, il le stocke juste au milieu. » Penaude, j'ai jeté un coup d'œil à mon panier, qui donnait l'impression que je faisais des provisions pour l'Halloween.

«Si tu manges trop de sucre (ou d'autres hydrates de carbone à indice glycémique élevé comme les pâtes, le riz blanc, le pain blanc et les pommes de terre), l'insuline — une hormone qui favorise le transfert du glucose (le sucre) du sang vers les muscles et les autres tissus — grimpe en flèche», m'a expliqué Jim, un des pionniers des composés pharmaceutiques et nutritifs, et propriétaire du Las Colinas Pharmacy Compounding and Wellness Center, à Irving (Texas). « Au bout de plusieurs années, l'organisme devient résistant aux effets de l'insuline, d'où le terme insulinorésistant. Alors, plutôt que de transformer le sucre en énergie, le corps l'emmagasine sous forme de graisses, habituellement autour de la taille. »

Si le sucre était un poison, alors je m'empoisonnais depuis des années. Toute petite, je mangeais des crêpes recouvertes de sirop ou des céréales sucrées au petit déjeuner et, en rentrant de l'école, la délicieuse odeur des collations faites maison m'accueillait. Ma mère en fabriquait toute une gamme : gâteaux, tartes et biscuits dont je raffolais. Aux repas, je préférais toujours le dessert au plat de résistance. Même une fois adulte, j'ai traversé une période durant laquelle j'aurais pu manger des sucreries toute la journée. Le matin, j'avalais une tranche de gâteau avec mon café. Puis, pendant que je faisais le covoiturage l'après-midi, je grignotais des rouleaux sucrés ou un sac complet de jujubes. Parfois, j'entamais une boîte de biscuits en rangeant les courses d'épicerie et, avant de m'en rendre compte, j'en avais mangé la moitié ! Mais, comme par ailleurs je m'alimentais très sainement (protéines maigres, fruits, légumes et fibres), que je m'entraînais quotidiennement et que j'avais la chance d'avoir un bon métabolisme, je n'engraissais pas et ne croyais pas que mon goût pour le sucre soit un problème.

Des années avant ce jour où j'ai rencontré Jim à la pharmacie, j'avais déjà, brièvement, renoncé au sucre. C'était en raison de mon comportement d'un après-midi de fin décembre. J'étais alors seule à la maison, en train de défaire le sapin de Noël. Il restait de la tarte à la citrouille, ma préférée, et tandis que je rangeais les guirlandes, je m'arrêtais de temps en temps pour en avaler un morceau. À la fin de la journée, il n'y avait plus trace de Noël dans la maison, ni trace de tarte. J'avais consommé tout ce qui restait et, à vrai dire, si j'en avais eu une autre sous la main, j'en aurais mangé encore. Je me suis alors dit : « Bon, ça suffit. Pour l'année qui commence, je prends la résolution de ne pas manger de sucre pendant un an. » Comme je l'ai déjà expliqué, la meilleure façon pour moi de réaliser un objectif consiste à devoir en rendre compte. Le soir même, j'avais donc annoncé mon intention à Phillip et à mes fils. Les premières semaines n'avaient pas été trop difficiles, mais, comme les mamans de jeunes enfants le savent, éviter le sucre est particulièrement dur quand vous assistez constamment à des anniversaires, à des festins de crème glacée pour célébrer des fins de match et à des ventes de gâteaux. Les semaines se succédant, mes fils étaient de plus en plus enthousiasmés par ma volonté et m'encourageaient avec ferveur. Je ressentais souvent une terrible envie de biscuits ou de réglisse, mais je me ravisais : « Comment tricher alors que mes fils sont si fiers de moi ? » Je ne voulais pas qu'ils pensent que j'étais une lâcheuse. Étonnamment, j'ai réussi à me passer de sucre durant toute une année. Sans avaler un seul biscuit ni le moindre petit gâteau. Pas même un bonbon à la menthe. Je me sentais vraiment bien. J'avais beaucoup d'énergie, j'avais perdu du poids et ma peau était plus belle. Exactement un an plus tard, je me suis offert une part de tarte à la citrouille et, bien que l'intensité de mon goût pour le sucre ait diminué, j'ai vraiment savouré cette gâterie.

Il reste que ce n'est qu'en rencontrant Jim par hasard ce jour-là que j'ai finalement compris *pourquoi* le sucre était si mauvais pour moi. Comme je l'ai dit, je croyais que je pouvais me le permettre étant donné que je mangeais très sainement à d'autres moments, sans compter que je m'entraînais quotidiennement et que je prenais grand soin de moi. Mais je n'avais pas compris que le sucre était non seulement responsable de mon bourrelet à la taille mais également de mes chutes d'énergie.

« Lorsque vous l'absorbez, le sucre procure d'abord une montée d'énergie, parce que son taux augmente dans le sang, mais ensuite il diminue, explique mon entraîneur personnel et nutritionniste Robert Reames. Cette chute rapide de l'énergie fatigue et suscite l'envie de consommer davantage de sucre afin de retrouver la sensation du départ. » Bien entendu, cela expliquait pourquoi ma tranche de gâteau du matin me poussait vers des biscuits au milieu de la journée, puis à un sac de bonbons dans l'après-midi. Trop de sucre risque de vous faire engraisser, favorisant l'apparition d'un diabète de type 2 (surtout en présence d'antécédents familiaux), ainsi que toute une panoplie de maladies telles que les cardiopathies, car l'insuline qui grimpe crée une inflammation qui se propage dans tout l'organisme. Compte tenu des maladies cardiaques présentes dans ma famille, cela m'a véritablement stoppée.

Il y a un autre effet surprise lié à la surconsommation de glucides : les rides ! En effet, il semblerait que l'excès de sucre enclenche un processus appelé glycation. Cela se produit lorsque les molécules de sucre se lient aux structures de soutien de la peau — le collagène et l'élastine — et les brisent. (Si j'avais su, j'aurais laissé tomber mes bonbons préférés bien avant !) Le problème, c'est que même si vous ne pensez pas avoir un penchant pour le sucre et que vous ne consommez pas des sucreries comme je le faisais, il reste qu'il y a du sucre caché dans toutes sortes d'aliments, comme la sauce tomate en pot, le ketchup, le yogourt et le pain.

Jetez un coup d'œil à certains de vos aliments préférés et vous risquez d'être surprise par la quantité de sucre qu'ils contiennent. Quand j'ai vu qu'un petit pot des yogourts préférés de Phillip renfermait 27 grammes de sucre, j'ai cessé d'en acheter ; il mange maintenant un yogourt nature faible en gras auquel il ajoute des fruits frais. Mais la raison importante pour laquelle je pense que mon lien avec le sucre a vraiment pris fin ce jour-là à la pharmacie, c'est que Jim m'a appris qu'il pouvait avoir un effet négatif sur les femmes en périménopause et en ménopause. À 46 ans, je commençais à ressentir les premiers symptômes de ce passage de la vie, et tout ce qui pouvait m'en soulager était bienvenu. Avec le recul, je crois vraiment que le fait de ne pas manger de sucre a beaucoup facilité cette étape. Je m'en rends d'autant plus compte que, lorsque je cède à la tentation, j'en ressens souvent les effets. Ainsi, au cours d'une semaine de rénovations stressantes à la maison, j'ai dévoré la moitié d'un gâteau. Non seulement ai-je ensuite subi des hauts et des bas en termes d'énergie, mais les bouffées de chaleur se sont multipliées.

Je ne dis pas que le sucre est mauvais pour toutes les femmes en périménopause ou en ménopause, car certaines peuvent manger des bonbons tout au long de cette transition et se sentir tout de même très bien. Chacune est différente et il s'agit de savoir ce qui nous convient le mieux. Soyez à l'écoute de votre santé et notez ce que vous mangez, comment vous vous sentez ainsi que les symptômes qui se manifestent. Si vous constatez des schémas qui reviennent, vous voudrez peut-être modifier certaines habitudes alimentaires. Depuis que je connais les effets du sucre sur l'organisme, je me suis intéressée à la nutrition et j'ai commencé à lire beaucoup sur le sujet ainsi qu'à me renseigner auprès de spécialistes. J'ai également prêté une plus grande attention à ce que j'ingurgite ainsi qu'aux réactions de mon corps, ce qui m'a amenée à renoncer aux produits laitiers. Il y a quelques années, j'ai constaté que chaque fois que j'en consommais, je me sentais ballonnée, congestionnée et léthargique. Au bout de quelques recherches, j'ai compris que je présentais tous les symptômes d'intolérance au lactose. J'ai été désolée, car j'adorais le lait et la crème glacée, mais je me sentais tellement mal quand j'en mangeais que j'ai préféré les éviter. À part le yogourt grec et le fromage cottage sans lactose, je ne consomme plus de produits laitiers.

Cela dit, je sais aussi à quel point il est important pour les femmes d'absorber suffisamment de calcium pour renforcer les os et éviter l'ostéoporose, une maladie qui fragilise et affaiblit les os, augmentant ainsi le risque de fracture. (Les femmes sont quatre fois plus à risque que les hommes[1]!) Le calcium aide également les muscles à se contracter, le sang à coaguler et les nerfs à envoyer des messages au reste du corps. «Une femme commence à perdre du calcium au milieu de la vingtaine et si elle n'en absorbe pas suffisamment, elle risque, à la cinquantaine, de connaître l'ostéopénie, une faible densité osseuse qui annonce l'ostéoporose », explique Jim. Le besoin en vitamine D croît en même temps, car cette vitamine aide l'organisme à absorber le calcium (on lui attribue également un important effet anti-inflammatoire, susceptible de réduire les risques de maladies comme le cancer du sein et les cardiopathies). Comme je ne mange pas beaucoup de produits laitiers, je m'assure de prendre un supplément de calcium qui renferme également de la vitamine D3. Les spécialistes disent qu'il vaut mieux trouver le calcium dans les aliments. « Mais, ajoute Jim, si vous devez prendre un supplément, vous devez savoir qu'il en existe différents types, plus ou moins bénéfiques. Je suggère un type de supplément appelé MCHC, qui contient tous les micronu-triments dont vous avez besoin pour absorber le calcium, comme le magnésium et le bore, en plus de la vitamine D3. » La Fondation natio-nale de l'ostéoporose[2] recommande 1000 mg de calcium et 400-800 UI de vitamine D pour les femmes de 19 à 49 ans, et 1200 mg de calcium et 800-1000 UI de vitamine D pour les femmes de 50 ans et plus.

Porter attention à mon corps m'a également enseigné qu'un aliment consommé jusque-là sans problème pouvait ne plus nous convenir lorsque nous vieillissons. Pour moi, c'est ce qui s'est produit avec le beurre d'arachide. Ma mère nous en servait en sandwichs, avec des bananes, ou sur du céleri. Lorsque j'étais enceinte de Jay, j'en tartinais des crêpes. À l'époque où j'attendais Jordan, Phillip faisait griller quatre tranches de pain à la fois, il les tartinait de beurre d'ara-chide et, pendant que je dévorais le tout, il m'en préparait deux autres tranches. Ma passion pour cet aliment a traversé différentes phases et j'avais cessé d'en manger depuis un moment quand nous avons démé-nagé en Californie. C'est là que j'ai découvert mon nouveau goûter favori, fabriqué par une boulangerie locale : les bagels aux bleuets recouverts de beurre d'arachide. Rien que d'y penser me met l'eau à la bouche, mais, au bout de quelques semaines d'une consommation quotidienne, je me suis rendu compte que je ressentais les mêmes symptômes de gonflement et de léthargie que ceux provoqués par les produits laitiers. En faisant un test d'allergie, j'ai appris que je ne pouvais pas digérer le beurre d'arachide et j'y ai donc totalement renoncé pour apaiser mon estomac et conserver mon énergie. Ça me manque beaucoup, mais, une fois de plus, je suis bien obligée de constater que l'inconfort dure plus longtemps que le plaisir d'avaler cet aliment.

Le conseil de Robin. Voici quelques conseils santé qui me viennent de mon amie et chef, Dora Cordts :

- Remplacez la crème fraîche ou la crème sure par du yogourt grec, dans vos recettes. Il s'agit d'un probiotique naturel, une bonne bactérie qui contribue à maintenir en santé votre système gastro-intestinal, tout en stimulant le système immunitaire. Il est également plus facile à digérer et il contient moins de calories.
- Plutôt que d'employer le riz rond à risotto, utilisez du blé épeautre, qui rassasie, et dont les grains entiers, riches en protéines, ont un goût délicieux.
- Achetez des tortillas fraîches et non cuites plutôt que celles emballées précuites, et cuisez-les au four au lieu de les faire frire. (Elles font aussi de savoureuses croustilles.) Les tortillas non cuites sont préparées avec de l'huile de canola plutôt qu'avec du lard, et elles comportent moins de gras saturés.

En dehors du fait d'éviter les aliments qui me rendent malade, je ne m'impose aucune restriction alimentaire. Je ne m'impose pas de régime amaigrissant et je ne l'ai jamais fait de toute ma vie. Je crois que c'est la raison pour laquelle mon métabolisme se porte à merveille, même à 55 ans. C'est aussi pour cela que je n'ai jamais dépassé mon poids normal de plus de deux kilos (sauf quand j'étais enceinte) et que je n'ai pas eu à me battre pour conserver ce poids au cours de ma ménopause, comme c'est le cas pour bien des femmes. Je surveille ce que je mange (sauf en vacances), mais je ne me prive pas.

Je reçois souvent des lettres de jeunes femmes me demandant conseil pour rester ou devenir mince, et la meilleure réponse que je puisse leur donner est celle-ci : ne vous privez jamais de nourriture. À 20 ou 30 ans, vous avez un métabolisme sain, mais cela peut changer si vous adoptez un régime draconien ou si vous vous empêchez de manger. « Lorsque le corps est privé de calories, il se met à emmagasiner des graisses et à puiser de l'énergie à même la masse musculaire, explique Robert Reames. Et lorsque vous avez moins de muscles, vous ralentissez votre métabolisme. » Même avec mes 36 kilos en trop après la naissance de Jay, je n'ai pas fait de régime ; j'ai perdu du poids en mangeant.

Au début, je ne me préoccupais pas du tout de mon poids. Je m'habituais à la vie avec un nouveau-né, puis, alors qu'il avait seulement deux semaines, Jay a dû subir une opération d'urgence pour un trouble digestif qu'on appelle sténose du pylore. Comme vous pouvez l'imaginer, après l'intervention, j'étais tellement soulagée et reconnaissante que Jay soit en bonne santé, que j'étais loin de me soucier de la taille de mes cuisses. Je me réjouissais plutôt de chaque merveilleuse minute passée auprès de mon bébé. Toutes les nuits, quand j'entendais Jay pleurer pour son biberon de 2 h, je reprenais chaque fois une même routine. Je me rendais à la cuisine pour préchauffer le four, avant d'aller changer sa couche. Puis, je l'emmenais à la cuisine, je déposais six morceaux de pâte à biscuits dans le four, et je réchauffais son biberon. Quand celui-ci était prêt, mes biscuits étaient prêts aussi et nous allions alors dans le petit salon où j'écoutais mon CD favori d'Anne Murray. Repenser à ces nuits me donne le frisson, car ces moments comptent parmi les plus doux de ma vie. J'étais là, assise dans ce grand calme qui n'existe que la nuit, berçant le petit corps tout chaud de Jay entre mes bras tandis qu'Anne Murray chantait doucement. Pas de sonnerie du téléphone ou à la porte, pas de visite impromptue. Il n'y avait que nous deux et c'était magique. (Et, bien entendu, les biscuits tout chauds s'ajoutaient à mon bonheur.) Je vivais dans une telle béatitude que je ne remarquais pas ou ne me souciais pas d'un surpoids devenu important par rapport à ma taille (1 m 62).

Ceci, jusqu'à environ six semaines après l'accouchement, lorsque je me présentai à l'épicerie. Le gérant, un vieil ami, m'avait aperçue et vint me saluer : « Robin, c'est pour quand, l'accouchement ? » demanda-t-il.

Je me sentis accablée. « Mon bébé est né il y a six semaines », répondis-je. J'étais honteuse, mais ce fut l'inspiration dont j'avais besoin pour interrompre mes rendez-vous nocturnes avec les biscuits et faire quelque chose pour maigrir et me sentir mieux. À vrai dire, même si les biscuits étaient savoureux, ils m'empêchaient ensuite de dormir, et je m'éveillais souvent léthargique et ballonnée. D'ailleurs, le fait de continuer à porter mes vêtements de maternité six semaines après l'accouchement n'avait rien de très positif pour mon estime personnelle.

Avec l'approbation de mon médecin, j'ai pris des mesures pour maigrir. À sa suggestion, je commençais la journée en avalant une tasse de vinaigre de cidre de pomme mélangé à une tasse d'eau chaude et à une ou deux cuillères de jus de citron, afin de désintoxiquer mon organisme et stimuler mon métabolisme. Ce mélange empêche la rétention d'eau, et c'est pourquoi je le prends encore aujourd'hui. Ensuite, je grillais une poitrine de dinde et je la rangeais au frigo. Chaque fois que j'avais faim, je m'en coupais une tranche et je la roulais dans une fine tranche de fromage avec un cornichon. Je mangeais la même chose au dîner, mais en ajoutant du fromage cottage, de la vinaigrette au vinaigre de vin et des concombres. Moins de trois mois après ce moment de honte au supermarché, j'avais retrouvé mon poids normal.

Le conseil de Robin. J'ai été surprise d'apprendre que ce qu'on mange ou boit avant d'aller au lit peut influencer notre sommeil. « Vous pensez peut-être que l'alcool vous aidera à dormir, mais en fait, il peut vous empêcher d'atteindre les phases de récupération du sommeil et vous réveiller durant la nuit, affirme Frank Lawlis, Ph. D., psychologue, chercheur et auteur de *The Stress Answer* et de *The IQ Answer*. En revanche, les aliments qui stimulent la production de sérotonine, un produit chimique du cerveau favorisant la relaxation, peuvent vous aider à dormir. C'est le cas du lait, du fromage doux, de la pastèque, du jambon, de la dinde et des amandes. » Il faut cependant veiller à ce que ces collations du soir soient petites, car la digestion d'un gros repas vous tiendra éveillée. Par ailleurs, si vous êtes une buveuse de café, cessez d'en boire en début d'après-midi, car autrement la caféine, en restant dans votre système, pourra vous garder éveillée.

Je mangeais toute la journée à l'époque et je le fais encore, environ toutes les deux heures. Je pense que la plupart des gens seraient abasourdis de voir tout ce que je mange. Même Phillip, après 35 ans de vie commune, en est parfois encore étonné. (Il me surnomme affectueusement la « gloutonne ».) Je ne suis simplement pas du genre à faire la fine bouche et à ne manger que des légumes vapeur. Je ne souhaite d'ailleurs pas le devenir. Les aliments sont tellement délicieux et la vie bien trop courte pour se priver de toutes les saveurs qu'on peut y trouver. (Je pense de toute façon que je serais impossible à vivre si je ne pouvais pas manger.) Ce qu'il me semble c'est que, lorsque je savoure vraiment mes repas, je me sens plus satisfaite. C'est lorsque nous nous privons et que nous avons toujours faim que nous devenons obsédée par la nourriture.

Et voici qui vous surprendra : je mange des hydrates de carbone, tous les jours ! Je ne pourrais tout simplement pas m'en passer, surtout parce que les sandwichs comptent parmi mes aliments préférés. J'apprécie le traditionnel bacon-laitue-tomate ou le sandwich au thon, mais je varie les ingrédients. L'un de mes sandwichs préférés est constitué de pain Ezekiel, que je garnis de fromage à la crème sans lactose, de luzerne, tomate, concombre, avocat et cornichons. Je fais en sorte de choisir un pain riche en fibres (un nutriment qui évite la constipation et protège contre le cancer du côlon). «Il faut dire que les hydrates de carbone sont la principale source d'énergie de l'organisme et que si vous n'en absorbez pas suffisamment, votre corps ira se servir dans les muscles», explique Robert. Ils stimulent par ailleurs la production de sérotonine dans le cerveau, un médiateur chimique qui aide à rester calme et détendu.

Toutefois, Robert m'a enseigné que les hydrates de carbone n'ont pas tous la même valeur. Ceux qui ne renferment pas assez de fibres ou pas du tout, comme les pâtes faites à partir de blé très raffiné, le riz blanc et le pain blanc, ne procurent pas ces bienfaits. Par contre, les féculents complexes comme le riz brun ou sauvage, les pommes de terre avec leur pelure ainsi que les céréales à forte teneur en fibres peuvent vous donner l'énergie nécessaire pour traverser la journée. «Les fibres comblent votre appétit plus rapidement et pour plus long-temps. De plus, elles maintiennent l'équilibre des taux de sucre dans le sang, ce qui évite les envies de sucre raffiné et ses dérivés, comme les bonbons, les gâteaux et les biscuits», dit Robert. (Voilà pourquoi j'ai mangé énormément de fibres quand je tentais de me défaire de mon goût pour le sucre.)

Les fibres sont également présentes dans les fruits et légumes, qui contiennent aussi toute une gamme de nutriments importants appelés antioxydants, qui non seulement protègent contre le cancer et les maladies cardiaques, mais empêchent les cellules de la peau de se dégrader. Je commence ma journée en mangeant environ une tasse de papaye en morceaux, fruit qui renferme d'importants enzymes digestifs ainsi que des nutriments bons pour la peau. J'avale cela en me rendant au studio, puis, plus tard dans la matinée, je me prépare un goûter composé de quartiers de pomme accompagnés de noix ou de bleuets mélangés à du fromage cottage. J'adore aussi la pastèque (qui était pour moi un produit essentiel quand j'étais enceinte de Jordan), parce qu'elle étanche la soif, rassasie et renferme du lycopène, un puissant antioxydant que l'on trouve aussi dans la sauce tomate et le pamplemousse. Comme j'aime aussi beaucoup les légumes, je n'ai aucun mal à absorber les cinq à neuf portions recommandées quotidiennement. Je mange une grosse salade au moins une fois par jour et je grignote des haricots verts et des pois mange-tout. Quel que soit le moment, ma salade préférée se compose de tranches de concombre mélangées à du poulet et du thon. Le chou, le chou frisé, le chou-fleur et le brocoli sont des légumes que j'ai beaucoup consommés en me rapprochant de la ménopause, parce qu'ils ralentissent naturellement la formation et la circulation de certains oestrogènes.

Le conseil de Robin. Mangez des fruits et des légumes crus, comme des pommes, des carottes et des poires : non seulement ils peuvent prévenir les maladies, mais ils contribuent également blanchir les dents. Durant la mastication, leur texture rugueuse entraîne certaines particules responsables de l'apparition de taches. Comme il faut les mastiquer à fond, ils stimulent aussi la sécrétion de salive, ce qui aide à rincer les résidus de tache.

Les protéines sont mon autre groupe d'aliments préférés. Elles constituent un nutriment important pour aider nos muscles, tissus, organes, cellules et os à croître, puis à se régénérer.

Elles sont également une composante essentielle du collagène, la structure de la peau qui en maintient la fermeté. Par conséquent, en manger peut vous aider à paraître plus jeune. J'aime la dinde et le poulet, mais je préfère la viande rouge, comme la côte de bœuf et la noix d'entrecôte. (Je suppose qu'on peut sortir une fille du Texas, mais pas le Texas de la fille.) Je choisis autant que possible les pièces de viande les plus faibles en gras, et j'en retire le surplus.

Même si j'apprécie le saumon une fois de temps en temps, je ne suis pas une grande amatrice de poisson. J'aimerais l'être, car non seulement le poisson est une bonne source de protéines, mais également parce qu'il contient des acides gras essentiels tels que les oméga-3, qui contribuent à réduire l'inflammation de l'organisme (favorisée par le vieillissement), abaissent le taux de cholestérol et protègent contre de nombreuses maladies, des cardiopathies à la dépression. Les oméga-3 sont particulièrement importants si vous êtes enceinte ou si vous allaitez, car les recherches montrent qu'ils contribuent au développement du cerveau et du système nerveux du bébé. Enfin, ces acides gras essentiels peuvent vous aider à conserver une peau pulpeuse et hydratée. Puisque je ne mange pas de poisson, je vais chercher ma dose d'oméga-3 dans les graines de lin, les noix, les graines de citrouille et dans des œufs qui en contiennent, ainsi que dans des suppléments à base d'huile de poisson. Je m'assure également que Phillip et moi mangeons d'autres gras sains comme le beurre, l'huile d'olive, l'huile vierge de noix de coco et l'avocat, qui sont bons pour l'organisme et qui contribuent à donner une apparence saine aux cheveux, à la peau et aux ongles. Nous essayons d'éviter les gras trans, des produits chimiques destinés à prolonger la durée de vie des aliments en magasin. Vous les trouvez dans les produits à base de lait entier, les viandes traitées comme le jambon, et les aliments emballés comme les gâteaux et les biscuits. Heureusement, en raison de toute l'attention négative que ces gras obtiennent, de nombreuses compagnies les retirent de leurs aliments ou en signalent la présence sur les étiquettes.

Je sais qu'il peut sembler difficile d'essayer de manger sainement ou de maigrir, mais voici quelques conseils qui m'aident à manger et à vivre de cette façon tous les jours.

Ne sautez jamais le petit déjeuner. Ce premier repas est celui qui donne le coup d'envoi au métabolisme pour la journée. Votre corps a déjà jeûné au moins huit heures pendant que vous dormiez. Si vous ne prenez pas de petit déjeuner, il peut se mettre en mode de privation. De plus, si vous n'avalez rien le matin, vous aurez tellement faim à l'heure du déjeuner que vos bonnes intentions de manger sainement risquent de s'envoler en fumée. Cela dit, il ne s'agit pas de manger n'importe quoi au petit déjeuner. Les aliments trop gras ou trop sucrés, comme les beignets, les viennoiseries et les muffins font grimper le sucre dans le sang pour ensuite provoquer une chute d'énergie, de telle sorte que vous ne tiendrez pas le coup jusqu'au repas de midi. Robert dit que le meilleur petit déjeuner est faible en sucre et comporte des protéines et des hydrates de carbone : ce serait le cas de céréales riches en fibres, accompagnées de petits fruits et de lait écrémé, ou un œuf et une rôtie.

Planifiez vos repas. C'est la clé pour les femmes occupées, car si vous ne planifiez pas vos repas ou si vous n'avez pas de goûters dans votre sac, vous serez tentée de vous arrêter dans le premier *fast-food* que vous apercevrez lorsque vous aurez faim. Il est utile de prévoir le menu pour la semaine, ou tout au moins ce que vous mangerez le lendemain. Faites la liste de tout ce dont vous aurez besoin et allez acheter ces ingrédients afin de les avoir sous la main. Je fais en sorte que tous mes repas soient sains en apportant ce que je désire manger au studio : fruits en morceaux, yogourt grec, pain Ezekiel, graines de tournesol et fromage cottage.

À la manière de Robin

Journée typique :

Petit déjeuner : café, papaye en morceaux, œuf poché sur une rôtie de pain Ezekiel beurrée, biscuit faible en gras ou crêpes de blé entier

Goûter de la matinée : tranches de pomme accompagnées de noix ou d'amandes, grand bol de fromage cottage faible en gras et sans lactose, accompagné de bleuets et de graines de tournesol

Déjeuner : sandwich à la dinde ou au poulet

Collation d'après-midi : rôtie tartinée de miel ou quartiers de pomme avec noix et dinde

Dîner : poulet ou steak, pomme de terre au four avec un peu de moutarde et salade verte

Collation avant d'aller au lit : petit pot de yogourt grec

Tenez un journal de vos repas. En ce qui me concerne, devoir rendre compte m'aide beaucoup à rester sur la bonne voie, et un journal est un excellent moyen pour y arriver. Je ne tiens pas un registre précis, même si plusieurs de mes amies ne jurent que par cela et que les recherches en confirment l'intérêt. Une étude récente auprès de presque 2000 personnes, au centre permanent Kaiser pour les recherches sur la santé à Portland (Oregon), a révélé que celles qui prenaient note de ce qu'elles mangeaient quotidiennement avaient perdu deux fois plus de poids que celles qui ne l'avaient pas fait[3]. Vous pouvez utiliser un calepin tout aussi bien que votre ordinateur ou votre PDA. Je connais des gens qui envoient leur journal alimentaire par courriel à un complice qui cherche aussi à perdre du poids (voilà ce qui s'appelle rendre des comptes). La méthode importe peu, ce qui compte, c'est de noter les aliments que vous mangez.

Choisissez de la vaisselle plus petite. L'assiette moyenne est passée de 25 cm de diamètre à plus de 30 cm au cours des 20 dernières années, et la plupart des gens les remplissent à ras bord. En terme de privation, il n'y a rien de pire qu'une petite portion perdue dans une grande assiette. Un bon truc consiste à vous servir dans des assiettes à salade ou dans de petits bols. Vous mangerez ainsi de moins grosses portions tout en signalant à votre cerveau que votre assiette est pleine.

Faites des substitutions santé. Saviez-vous qu'un bagel équivaut à trois tranches de pain en nombre de calories ? Quand j'ai appris cela, j'ai été renversée et j'ai décidé sur-le-champ de limiter ma consommation. Un muffin anglais renferme la moitié moins de calories. Voici d'autres substitutions intéressantes : plutôt que d'employer de la mayonnaise, essayez la moutarde ou même un avocat écrasé, qui vous fera bénéficier des oméga-3. Troquez le lait entier contre celui faible en gras ou écrémé, et le yogourt ordinaire contre celui faible en gras.

Le conseil de Robin. Voici une façon saine de cuisiner des pelures de pommes de terre sans les gras ni les calories de la version traditionnelle. Cuisez une pomme de terre au four puis retirez-en presque toute la chair (laissez-en un peu quand même). Tartinez de moutarde, avec un soupçon de sauce piquante, ou avec du fromage à la crème non gras. C'est exquis et cela vous procure en plus des nutriments importants tels que le potassium, la vitamine C, la vitamine B6 et des fibres.

Lisez les étiquettes. La plupart des emballages comportent une section « Apport nutritif » qui vous indique la quantité de gras, de fibres, de protéines, de sucre et de calories, entre autres, que l'aliment contient. L'étiquette peut également vous informer sur la quantité présente dans une portion. Cela peut se révéler très utile quand vous surveillez votre poids. Je me rappelle une amie qui essayait de maigrir et qui ne comprenait pas pourquoi elle n'y arrivait pas. L'étiquette sur ses croustilles favorites indiquait que chaque portion équivalait à 140 calories. Elle avalait le sac en entier croyant n'absorber que 140 calories. Jusqu'à ce qu'elle y regarde de plus près et constate que le sac contenait 14 portions, soit un total de presque 2000 calories !

Buvez de l'eau. L'eau hydrate les organes et la peau et aide à éliminer les toxines de l'organisme. J'étais dans la trentaine quand un entraîneur d'une salle de gym a attiré mon attention sur ce fait. J'ai alors commencé à boire quelques bouteilles par jour. J'ai aussitôt perdu presque un kilo (quand vous mesurez 1 m 62, un kilo en vaut presque quatre) et ma peau est devenue plus éclatante. Bien que la quantité recommandée soit de huit verres de 250 ml par jour, je dois en avaler davantage les jours de mes entraînements parce que je transpire abondamment. Boire de l'eau est important si vous désirez maigrir, parce que la seule façon de vous débarrasser des graisses brûlées en faisant de l'exercice, c'est en les éliminant dans l'urine. Pour éviter de me lasser, je la parfume de quelques gouttes de thé vert à la pêche, aux fruits de la passion ou à la menthe. Le thé vert ne renferme aucune calorie et contient des éléments nutritifs étonnants qui stimulent le métabolisme, de même que des antioxydants protecteurs.

Éliminez. J'ai lutté toute ma vie contre la rétention d'eau. Je prends donc bien soin de consommer des aliments aux propriétés diurétiques naturelles (c'est-à-dire qui contribuent à éliminer le surplus d'eau de l'organisme) : pamplemousse, pastèque, asperges, céleri et concombre. J'absorbe également des capsules d'ail et papaye, un diurétique naturel qui évite la rétention d'eau sans priver l'organisme de potassium.

Sirotez du thé vert. Non seulement le rituel de l'infusion, puis le plaisir de le siroter sont relaxants, mais quantité d'études font état des nombreux bienfaits associés au thé vert, composé de feuilles de thé pur n'ayant subi presque aucun traitement. Une étude récente de la faculté de médecine d'Athènes (Grèce) indique que le thé vert pourrait améliorer le fonctionnement des cellules qui tapissent les parois de nos systèmes circulatoires, contribuant à nous protéger contre les maladies cardiaques[4].

Laissez tomber les boissons gazeuses. Je n'avais jamais goûté à une boisson gazeuse avant l'âge adulte (nous étions tellement pauvres que les rares fois où nous sortions manger un burger, nous ne pouvions pas nous permettre de l'accompagner de frites *et* d'une boisson). Par la suite, j'ai cependant été accro du cola pendant 30 ans. J'en avalais deux ou trois canettes par jour, mais je me suis ensuite limitée à une tous les deux ou trois jours. Ceci, jusqu'à ce que je fasse la recherche pour le présent ouvrage et que je découvre à quel point les boissons gazeuses diète ont un effet désastreux sur la santé. Elles renferment des acides (phosphorique et citrique), et de nombreux spécialistes pensent que les succédanés de sucre qu'elles contiennent peuvent causer des problèmes de santé. Pire encore, les résultats d'une étude effectuée par le Centre de recherche de l'USDA (ministère de l'agriculture des États-Unis) sur la nutrition et le vieillissement, à l'université Tufts, révèlent que plus une femme consomme de cola, plus la teneur minérale de ses os diminue[5]. Une autre étude réalisée par le Centre des sciences de la santé de l'Université du Texas indique que les personnes qui boivent des boissons gazeuses diète courent 65 % plus de risques de devenir obèses au cours des 7 ou 8 années suivantes que celles qui n'en consomment pas[6]. Si ces données ne suffisent pas à vous convaincre d'oublier les boissons gazeuses, je me demande ce qui le pourra !

Je tiens cependant à vous dire qu'en dépit de mon grand intérêt pour la nutrition et pour tout ce dont je nourris mon corps, mon régime alimentaire n'est en aucun cas parfait. Il m'arrive d'avoir très envie d'un bol de crème glacée ou d'une grosse cuillère de crème fouettée faite maison. Avant de céder à la tentation, je me pose la question « Est-ce que je souhaite vraiment la gratification instantanée que me donnera cet aliment ? » ou « Suis-je prête à passer le reste de la journée, ballonnée, congestionnée et irritable ? » Parfois la réponse à la deuxième question suffit à me faire changer d'avis, mais à d'autres moments, je cède en dépit des conséquences. Même le sucre tient une place occasionnelle dans mon alimentation. Je n'en mange pas beaucoup, mais j'adore les gâteaux d'anniversaire et de mariage ; en ces occasions, je suis la première à me mettre en ligne pour le dessert. Et s'il m'arrive, un week-end, de consommer six brioches à la cannelle (je l'ai fait récemment), j'en savoure chaque bouchée sans regret. En effet, à quoi bon les manger si c'est pour se culpabiliser tout le reste de la journée ? Je tâche simplement de rétablir l'équilibre en avalant un dîner léger, ce soir-là, et en buvant un peu plus d'eau pour éliminer. Et la vie continue. Je sais que je m'entraîne sérieusement, que je prends bien soin de moi, et que céder à la tentation de temps en temps est bon pour le corps comme pour le moral.

Réponses du spécialiste

Robert Reames est entraîneur personnel et nutritionniste, de même que l'entraîneur officiel et le nutritionniste du Dr. Phil Ultimate Weight Loss Challenge, ainsi que l'auteur de *Make Over Your Metabolism* et le créateur de la série de DVD *Robert Reames Lifestyle Transformation System*.

Qu'est-ce que les antioxydants et pourquoi sont-ils si importants ?

Tout au long de la journée, l'organisme est attaqué par des composés de l'environnement qu'on appelle les radicaux libres ; ceux-ci peuvent détruire des cellules, causant ainsi des maladies et accentuant le vieillissement. Les antioxydants jouent le rôle d'une armée pour combattre les radicaux libres afin de nous garder en bonne santé et réduire toute inflammation dangereuse pour l'organisme. On croit qu'ils jouent aussi un rôle pour maintenir la fermeté de la peau. Tout cela peut sembler très technique, mais il est facile de bénéficier des antioxydants en veillant à ce que notre alimentation comporte quotidiennement les cinq à neuf portions de fruits et légumes recommandées. La plupart contiennent des antioxydants, mais les meilleures sources sont les bleuets, la grenade, les canneberges, les cerises, les framboises, les pommes et les haricots noirs. Vous entendrez peut-être parler de nouveaux aliments comme les baies d'Açaï et de Goji, qui contiennent de grandes concentrations d'antioxydants et bien d'autres éléments nutritifs.

J'essaie de maigrir et j'ai souvent faim entre les repas. Quels sont les meilleurs goûters qui pourraient m'empêcher de plonger ma main dans la boîte à biscuits?

Idéalement, une collation vous rassasiera si elle renferme à la fois des protéines et des fibres, mais pas plus de 100 à 200 calories. Ces deux éléments nutritifs ralentissent la digestion, ce qui comble votre appétit plus longtemps; de plus, une étude récente démontre que les protéines suppriment la ghréline, une hormone sécrétée par l'estomac qui stimule l'appétit. Un bon goûter serait: une pomme ou une orange accompagnée d'une poignée d'amandes ou de noix, des bâtonnets de fromage faible en gras avec un morceau de fruit, ou des tranches de légumes avec de l'hummus.

Que puis-je faire dès aujourd'hui pour améliorer mon alimentation et mes habitudes?

Le plus important consiste à gérer votre environnement afin de vous soustraire à son emprise. Jetez tous les aliments malsains, à haute teneur en gras, de même que les collations et les céréales trop sucrées qui se trouvent dans vos armoires ou dans votre frigo. Ainsi, advenant une envie subite de chocolat en fin de soirée, il vous sera impossible d'y succomber. Si vous ne pouvez pas vous débarrasser de tout parce que d'autres membres de la famille en mangent, rangez-les au moins à part, afin de ne pas les voir.

Voici quelques autres moyens :

- Faites provision d'aliments sains : fruits et légumes frais et congelés, haricots en conserve, pain riche en fibres et protéines maigres. Favorisez votre réussite en les plaçant bien en vue. Par exemple, placez un grand bol de fruits sur le comptoir et une assiette de fruits et légumes coupés à portée de main dans le frigo.

- Préparez votre déjeuner. Si vous apportez votre propre repas au bureau ou lorsque vous sortez avec les enfants, vous contrôlerez mieux les portions, les gras et les calories que si vous allez au restaurant ou à la cantine. (En prime, vous économiserez.)

- Prévoyez de petites collations un peu partout : au bureau, dans la voiture ou dans votre sac à main. Des galettes d'avoine, des bâtonnets de fromage, des fruits faciles à transporter, comme des pommes et des bananes, des noix et des pots de yogourt font de bons goûters.

- Ne vous laissez pas leurrer par les aliments étiquetés « sans matière grasse ». Ils ne sont souvent pas plus faibles en calories parce que le gras a été remplacé par des tonnes de sucre. Si vous décidez d'en manger quand même, assurez-vous au moins d'en mesurer la portion.

- Trouvez des moyens pour apaiser votre stress. Très souvent, le grignotage est lié au stress, et il nous pousse vers des aliments sucrés ou très gras. Plutôt que de manger quand vous êtes préoccupée ou anxieuse, allez marcher (même juste autour du pâté de maisons), appelez une amie, prenez un bain ou faites n'importe quoi d'autre pour vous détendre. Dressez la liste de ces activités quand vous êtes calme et gardez-la à portée de main.

Pendant deux jours, notez tout ce que vous mangez habituellement. (La plupart des gens sont surpris de constater tout ce qu'ils absorbent et de réaliser qu'ils le font même sans avoir faim.) Au bout de quelques jours, examinez votre liste et essayez de modifier sainement votre alimentation. Par exemple, vous pourriez choisir un yogourt plutôt que des biscuits comme collation ou encore vous préparer une tartine au lieu d'un sandwich.

- Contrôlez vos portions. Souvent, ce n'est pas ce que vous mangez qui fait engraisser, mais plutôt la quantité. Répartissez le contenu des grosses boîtes de céréales et les aliments destinés aux goûters en portions individuelles dans de petits sacs. Les recherches démontrent que nous avons tendance à manger davantage à même un gros sac qu'à partir d'un petit. Servez-vous d'une tasse et de cuillères à mesurer pour vous assurer d'avaler une portion correcte (avec le temps, vous n'en aurez plus besoin).

- Mangez plus lentement. Il faut au moins 20 minutes à l'estomac pour signaler au cerveau qu'il est rassasié. Cela signifie que si vous mangez trop vite, vous risquez d'avaler plus de nourriture que nécessaire. Prenez votre temps et déposez la fourchette entre les bouchées. Pensez à bien mastiquer et prêtez attention au goût des aliments (plutôt que de faire autre chose en même temps, comme regarder la télé, vérifier vos courriels ou travailler).

- Tirez des leçons des moments difficiles. Être capable de se relever des situations pénibles est essentiel dans tous les aspects de la vie. Manger sainement et perdre du poids ne font pas exception. Ce n'est pas parce que vous avez avalé quelques tranches de gâteau en trop ou terminé le sac de croustilles que vous devriez renoncer à manger sainement. Demandez-vous plutôt pourquoi c'est arrivé et tenez-en compte à l'avenir. La prochaine fois que vous aurez un travail stressant à terminer, apportez des collations saines au bureau, comme des croustilles de soja ou des morceaux de fruits, plutôt que des chips. Ou encore, la prochaine fois que vous irez à une soirée, pensez à avaler un fruit avant de partir afin de ne pas être affamée en arrivant.

- Mettez l'accent sur la pensée positive. Au lieu de penser à tous les aliments que vous ne devriez pas manger, concentrez-vous sur la quantité étonnante d'aliments sains et délicieux que vous pouvez consommer. Une fois que vous aurez commencé à rechercher des options saines, vous constaterez qu'il y en a beaucoup et vous vous régalerez. Consultez des livres de recettes faibles en gras et en calories, et essayez régulièrement de nouveaux fruits et légumes plutôt que de vous en tenir à ceux que vous avez l'habitude d'acheter, comme les pommes, les bananes et les carottes.
- Renseignez-vous. Augmentez vos connaissances sur la nutrition et sur un mode de vie plus sain, en lisant des livres et des articles sur le sujet.

Je n'ai pas les moyens d'acheter des aliments sains. Que puis-je faire ?

Nul besoin d'être riche pour manger sainement ; il suffit de planifier. Consacrez une journée par semaine à cuisiner des repas sains et économiques, comme des soupes, du riz brun, des haricots secs et du poulet grillé, puis conservez le surplus au congélateur. Achetez toujours les fruits et légumes de saison, car ils coûtent généralement moins cher, et si les fruits et légumes frais ne conviennent pas à votre budget, achetez-les congelés (les études démontrent qu'ils sont tout aussi nutritifs).

Je ne sais pas comment opter pour un menu santé quand je vais au restaurant. Avez-vous un conseil ?

Les restaurants servent de trop grosses portions. Commandez une entrée plutôt qu'un plat, partagez un plat avec une amie ou, lorsque le plat vous est servi, faites-en deux parts et demandez qu'une part soit emballée pour être emportée. Ne craignez pas de vous renseigner sur la façon dont les aliments sont préparés et n'hésitez pas à demander que la vinaigrette soit servie à part. Vous pouvez aussi faire remplacer les frites par une salade ou des légumes, ou encore demander que le chef utilise une quantité réduite d'huile en préparant votre assiette. Si vous allez dans un restaurant faisant partie d'une chaîne commerciale, vous pourrez souvent consulter le menu et les renseignements nutritifs sur un site Web. De cette façon, vous pourrez choisir un plat santé à l'avance, en évitant d'être tentée par un énorme menu et de délicieuses odeurs alors que vous êtes affamée. Enfin, un moyen incontestable d'éviter la surabondance de calories : ne commandez jamais quoi que ce soit où figure le mot « frit ». Les meilleurs choix sont les aliments grillés ou cuits vapeur.

Est-ce que manger tard le soir peut faire engraisser ?

Cela dépend. Si vous sautez des repas durant la journée et pensez que cela vous autorise à vous « rattraper » ou à vous « récompenser » par un gros repas le soir, alors, oui, vous prendrez du poids. Cela dit, si vous prenez de bons repas durant la journée, vous n'aurez pas faim tard le soir et vous aurez moins tendance à manger trop. Ma recommandation générale serait de ne jamais avaler un gros repas juste avant d'aller au lit. La nuit sert à se reposer, pas à digérer. Par ailleurs, ne dépassez pas 12 à 16 heures entre le dernier repas de la journée et le petit déjeuner du lendemain. Ne rien manger pendant plus longtemps enclenchera un processus d'emmagasinage des graisses, qui réduit la masse musculaire (que vous voulez augmenter et conserver !) en y puisant l'énergie, ce qui ralentira globalement votre métabolisme.

Est-il vrai que le manque de sommeil peut faire engraisser ?

Oui. Plusieurs raisons expliquent qu'un manque de sommeil entraîne un gain de poids.

- Quand vous dormez, votre corps libère une hormone de croissance, qui aide à dégager de l'énergie à partir des cellules de graisses, ainsi que la leptine, une hormone qui permet une régulation de l'appétit et vous signale que vous êtes rassasiée. Si vous ne dormez pas, cela signifie que votre organisme diminue la production de ces hormones. Par conséquent, cela peut augmenter les risques de prendre du poids.

- Au contraire, le manque de sommeil peut stimuler la production d'une autre hormone appelée ghréline, qui augmente l'appétit, ainsi que du cortisol, l'hormone du stress, dont l'impact peut être négatif sur le métabolisme et qui pourrait favoriser la résistance à l'insuline. Tel que mentionné précédemment dans ce chapitre, l'insulinorésistance peut vous faire engraisser, surtout autour de la taille.

- Si vous manquez de sommeil, vous êtes fatiguée, et cela peut vous inciter à manger trop, en particulier des sucres et des hydrates de carbone raffinés, de même que des aliments salés et gras.

Que dois-je manger exactement pour perdre du poids et être en bonne santé ?

Les régimes ne servent à rien et il est donc important de vous engager dans un mode de vie qui favorisera une alimentation saine. Pour le Dr. Phil's Ultimate Weight Loss Challenge, les participants ont démarré en suivant le plan de départ rapide de 14 jours, tiré de son livre *The Ultimate Weight Solution Food Guide*[7]. Il ne s'agit pas d'un régime amaigrissant, mais plutôt d'un exemple d'alimentation saine, et un bon guide pour apprendre à choisir divers types d'aliments. En suivant ce plan, au bout de deux semaines, vous saurez mieux établir les portions et vous pourrez vous assurer d'avoir des repas équilibrés. Parfois, si vous essayez de maigrir, il est utile de commencer avec un menu déjà planifié, pour n'avoir pas à vous demander sans cesse ce que vous devriez manger au moment de prendre de nouvelles habitudes alimentaires. Chaque repas combine des protéines, des hydrates de carbone et des gras, tout en étant pauvre en sucre, en sel, en gras et en cholestérol.

Jour 1

Petit déjeuner

1 portion de céréales riches en fibres (ex. : All-Bran, Bran Buds, Fruit & Fiber)

1 tasse de lait faible en gras ou écrémé, ou de boisson de soja

1 œuf brouillé (ou 2 blancs d'œufs brouillés)

Fraises (ou autre fruit de saison)

Café ou thé

Goûter

1 poire

Déjeuner

1 boîte de thon et 1 tranche de tomate sur un généreux lit de laitue, de poivron vert en lamelles, de radis et autres légumes à salade

2 c. à soupe de vinaigrette italienne faible en calories

Goûter

1 tasse de yogourt nature, faible en gras et sans sucre, mélangé à 1 c. à soupe d'abricots sans sucre en conserve

Dîner

Poitrine de poulet grillée

Pointes d'asperges cuites à la vapeur ou bouillies

Courgettes cuites à la vapeur ou bouillies

Jour 2

Petit déjeuner

2 saucisses de dinde

Gruau d'avoine cuit

½ pamplemousse

Café ou thé

Goûter

>   Lait frappé à la banane : 1 banane congelée mélangée à 1 tasse de lait faible en gras ou de boisson de soja

Déjeuner

>   Salade méditerranéenne : ½ tasse de pois chiches sur un généreux lit de verdure et de légumes à salade
>   1 c. à soupe d'huile d'olive mélangée à un peu de vinaigre balsamique

Goûter

>   1 tasse de yogourt (parfum au choix) faible en gras et sans sucre

Dîner

>   Saumon grillé
>   Brocoli cuit à la vapeur ou bouilli
>   Carottes cuites

Jour 3

Petit déjeuner

>   2 tranches de jambon sans gras
>   Muesli faible en gras, mélangé à 1 tasse de yogourt (parfum au choix) faible en gras et sans sucre
>   1 orange
>   Café ou thé

Goûter

>   1 pomme

Déjeuner

>   Salade César au poulet : poitrine de poulet grillée coupée en cubes, laitue romaine déchiquetée, assortiment d'autres légumes à salade, 2 c. à soupe de vinaigrette César à teneur réduite en gras

Goûter

½ tasse de fromage cottage accompagné de carottes de format mini et autres crudités

Dîner

Filet de bœuf
Petits pois bouillis
Chou-fleur cuit à la vapeur ou bouilli

Jour 4

Petit déjeuner

1 œuf brouillé
Gruau d'avoine cuit
1 tasse de lait faible en gras ou écrémé, ou de boisson de soja
Cantaloup (ou autre fruit de saison)
Café ou thé

Goûter

Petits fruits frais

Déjeuner

Chili aux haricots noirs : ½ tasse de haricots noirs cuits, 2 c. à soupe de salsa, 2 c. à soupe d'oignon émincé, ½ tasse de tomates à l'étuvée

Goûter

1 tasse de yogourt (parfum au choix) faible en gras et sans sucre

Dîner

Poitrine de dinde rôtie
Choux de Bruxelles cuits à la vapeur ou bouillis
Salade verte
2 c. à soupe de vinaigrette française faible en gras

Jour 5

Petit déjeuner

2 blancs d'œufs brouillés
1 portion de céréales riches en fibres
1 tasse de lait faible en gras ou écrémé, ou de boisson de soja
Framboises (ou autre fruit de saison)
Café ou thé

Goûter

Crudités
30 g de fromage suisse faible en gras

Déjeuner

Poitrine de poulet grillée
Salade de chou assaisonnée de 2 c. à soupe de vinaigrette faible
en gras

Goûter

1 poire

Dîner

Poulet de Cornouailles cuit
Carottes cuites
Chou frisé cuit

Jour 6

Petit déjeuner

2 tranches de bacon de dinde
Son d'avoine cuit
1 nectarine ou 1 pêche
Café ou thé

Goûter

1 yogourt (parfum au choix) faible en gras et sans sucre

Déjeuner

1 portion de bœuf haché extra maigre, grillé
Salade verte
2 c. à soupe de vinaigrette faible en gras
1 tasse de raisins frais

Goûter

½ tasse de fromage cottage faible en gras avec des crudités

Dîner

Morue ou autre poisson blanc cuit au four
Haricots verts à la française, bouillis
Courge jaune cuite à la vapeur ou bouillie

Jour 7

Petit déjeuner

1 œuf brouillé
Gruau de maïs cuit
Melon miel
Café ou thé

Goûter

1 pomme

Déjeuner

Aubergine cuite, garnie de ½ tasse de sauce tomate, ½ tasse de tofu en cubes et de 30 g de fromage mozzarella sans gras râpé

Salade verte assaisonnée de 1 c. à soupe d'huile d'olive et de vinaigre balsamique

Goûter

1 tasse de yogourt nature faible en gras et sans sucre, mélangé à 1 c. à soupe de fraises sans sucre en conserve

Dîner

Filet de porc rôti
Chou bouilli
Tranches de gombo bouillies

Jour 8

Petit déjeuner

2 saucisses de dinde
1 portion de céréales riches en fibres
1 tasse de lait faible en gras ou écrémé, ou de boisson de soja
½ pamplemousse
Café ou thé

Goûter

Tranches de concombre accompagnées de ½ tasse de fromage cottage faible en gras

Déjeuner

Plat végétarien : ½ tasse de haricots garnis de 2 c. à soupe de salsa
Artichaut cuit à la vapeur, dont on trempe les feuilles dans 2 c. à soupe de vinaigrette italienne faible en gras
Carottes de format mini, crues

Goûter

1 poire

Dîner

> Noix de bœuf
> Tomates à l'étuvée
> Chou-fleur cuit à la vapeur ou bouilli

Jour 9

Petit déjeuner

> 2 tranches de bacon de dinde
> Lait frappé : mélanger 1 tasse de lait faible en gras ou écrémé, ou
>   de boisson de soja à des petits fruits
> Café ou thé

Goûter

> 1 pomme

Déjeuner

> 1 portion de bœuf haché extra maigre grillé
> Salade d'épinards : épinards frais hachés, ½ tasse de haricots
>   blancs, 2 c. à soupe d'oignon émincé, 2 c. à soupe de poivron
>   rouge émincé et 1 c. à soupe d'huile d'olive avec un peu de
>   vinaigre balsamique

Goûter

> 1 tasse de yogourt (parfum au choix) faible en gras et sans sucre

Dîner

> Poitrine de poulet cuite au four
> Haricots jaunes bouillis
> Tomate fraîche en tranches

Jour 10

Petit déjeuner

2 blancs d'œufs brouillés

Céréales de blé (coussinets sous forme de filament pressé)

1 tasse de lait faible en gras ou écrémé, ou de boisson de soja

1 banane tranchée

Café ou thé

Goûter

1 prune

Déjeuner

Salade aux 3 haricots : ¼ tasse de pois chiches, ¼ tasse de haricots rouges, ½ tasse de haricots verts cuits, 2 c. à soupe d'oignon émincé, 2 c. à soupe de poivron rouge rôti et émincé, 2 c. à soupe de vinaigrette italienne faible en gras, le tout sur un lit de laitue romaine

Goûter

1 tasse de yogourt (parfum au choix) faible en gras et sans sucre

Dîner

Pattes de crabe royal d'Alaska cuites à la vapeur

Légumes variés cuits à la vapeur (brocoli, courgettes, courge jaune)

Jour 11

Petit déjeuner

1 œuf poché

Gruau d'avoine cuit

1 orange

Café ou thé

Goûter

Lait frappé aux fruits : 1 tasse de lait faible en gras ou écrémé, ou de boisson de soja à mélanger à des petits fruits

Déjeuner

Dinde maigre hachée, grillée au four ou à la poêle
Champignons portobello grillés
Tomate tranchée garnie de 30 g de fromage feta faible en gras

Goûter

Crudités

Dîner

Saumon grillé
Brocoli et chou-fleur cuits à la vapeur
Salade verte assaisonnée de 1 c. à soupe d'huile d'olive

Jour 12

Petit déjeuner

2 saucisses de dinde
1 portion de céréales riches en fibres
1 tasse de lait faible en gras ou écrémé, ou de boisson de soja
Framboises (ou autre fruit de saison)
Café ou thé

Goûter

1 poire

Déjeuner

Salade d'épinards aux crevettes : crevettes cuites, 2 c. à soupe d'oignon émincé, 1 tomate tranchée, épinards crus et 2 c. à soupe de mayonnaise faible en gras

Goûter

Crudités accompagnées de fromage cottage faible en gras (½ tasse)

Dîner

Steak de surlonge grillé
Brocoli cuit à la vapeur
Courge jaune cuite à la vapeur ou bouillie

Jour 13

Petit déjeuner

2 blancs d'œufs brouillés
Crème de blé
1 tasse de melon (ou autre fruit de saison)
Café ou thé

Goûter

1 orange

Déjeuner

Salade du chef faible en gras : 2 tranches de jambon faible en gras, 30 g de cheddar faible en gras et en sel, laitue déchiquetée et autres crudités en morceaux, 2 c. à soupe de vinaigrette française faible en gras

Goûter

1 tasse de yogourt (parfum au choix) faible en gras et sans sucre

Dîner

Darne de thon grillée
Haricots jaunes cuits à la vapeur ou bouillis
Asperges cuites à la vapeur ou bouillies

Jour 14

Petit déjeuner

> 2 saucisses de dinde
> 1 portion de céréales riches en fibres
> 1 tasse de lait faible en gras ou écrémé, ou de boisson de soja
> Pêches en tranches
> Café ou thé

Goûter

> 1 tasse de yogourt (parfum au choix) faible en gras et sans sucre

Déjeuner

> Poitrine de poulet grillée
> Haricots verts à la française bouillis
> Pomme de terre moyenne cuite au four

Goûter

> 1 banane

Dîner

> Rôti de bœuf
> Tomates à l'étuvée
> Salade verte assaisonnée de 2 c. à soupe de vinaigrette au fromage bleu faible en gras

Le bien-être et
les soins de la peau

J'étais à ma place habituelle pour l'enregistrement d'une émission quand une main s'est posée sur mon épaule. En me retournant, j'ai aperçu une femme très élégante, dans la cinquantaine. Elle s'est penchée vers moi en me chuchotant : « Robin, j'ai été assise derrière vous toute la matinée et il y a quelque chose que je n'arrive pas à comprendre, ça me rend folle ! » De là où elle se trouvait, elle ne pouvait voir que l'arrière de ma tête, alors je me demandais bien ce qu'elle allait me dire. Elle poursuivit : « J'ai observé un côté de votre visage et l'arrière de vos oreilles durant toute l'émission et je n'arrive pas à déceler de cicatrices. Vous devez avoir le meilleur chirurgien plasticien en ville ! Puis-je avoir son numéro ? » Ce n'était pas la première fois que j'entendais ce genre de commentaire.

Bien que j'aie fait beaucoup d'efforts pour conserver la tonicité de mon visage, ce dont nous parlerons sous peu, je ne suis jamais passée sous le bistouri. Je suis quelqu'un de très ouvert et je ne crains pas de dire les choses comme elles sont (ce doit être une affaire de famille) ; par conséquent, si j'avais eu recours à la chirurgie plastique, je le reconnaîtrais, surtout après le nombre incalculable de fois où l'on m'a posé la question. Je n'ai jamais eu recours non plus à quelque déridage ou remodelage que ce soit. (D'ailleurs, si je choisissais de remonter quelque chose, ce serait d'abord mes seins, et ensuite mes fesses.) Je lis partout que les gens pensent que j'ai l'air refaite, mais je ne peux que répondre que c'est mon apparence naturelle depuis toujours. Il y a une charmante scène dans le film *Femmes*, où Annette Bening entre dans un grand magasin et qu'une vendeuse de cosmétiques lui demande : « Aimeriez-vous acheter un *lifting* en bouteille ? » Annette Bening lui répond quelque chose comme : « Mon visage est tel qu'il est. Essayez de vous y faire. » J'adore cette scène, car cela correspond exactement à ce que je ressens.

Bien entendu, même si je n'ai jamais subi de remodelage, cela ne veut pas dire que je n'y ai jamais songé. Je ne pense pas du tout être parfaite et, comme la plupart des femmes, j'ai connu des moments de doute en apercevant dans le miroir une ride absente la veille. Au début de la quarantaine, j'étais dans un salon de coiffure à Dallas quand j'ai rencontré une connaissance qui avait une apparence superbe. Elle avait toujours été très belle, mais des rides et une peau altérée la faisaient paraître plus vieille que ses 53 ans. Or, depuis notre dernière rencontre, elle avait subi un déridage qui, tout en lui conservant une allure fidèle à elle-même, l'avait rafraîchie et rajeunie. Je m'étais alors dit que 53 ans devait être l'âge idéal pour un *lifting* facial et que, le moment venu, je me renseignerais. Puis, certains événements se sont produits. Au fil des années, j'ai connu de plus en plus de personnes pour qui l'intervention n'avait pas donné d'aussi bons résultats, et j'ai entendu des histoires de chirurgies qui avaient mal tourné. Je sais que c'est l'exception plutôt que la règle et que si vous choisissez un chirurgien de bonne réputation et accrédité, il y a de bonnes chances pour que tout se passe bien. Mais je me suis demandé ce qui arriverait si le médecin éternuait au milieu de l'intervention, si le bistouri glissait et me coupait le nez, ou s'il touchait un nerf facial, laissant mon visage à moitié paralysé? Statistiquement, le risque est faible, mais cela n'a rien de rassurant si l'on est celle à qui ça arrive.

Sur une note moins sérieuse, que se passe-t-il si, simplement, je n'aime pas ce à quoi je ressemble après toute cette souffrance et la convalescence? L'un de mes objectifs dans la vie consiste à ne jamais regretter quoi que ce soit, sauf que la chirurgie plastique n'offre aucune garantie. Il est trop tard, après, pour retrouver son visage d'avant. Le coup de grâce? Un soir, à la télé, je suis tombée sur une émission médicale au cours de laquelle on assistait à un remodelage en direct. J'ai failli m'évanouir quand j'ai vu le médecin introduire sa main dans la joue de la femme pour atteindre ses muscles faciaux. Je suis peut-être froussarde, mais il m'est impossible d'imaginer que je sois à la place de cette femme.

Je désire toutefois préciser que si la chirurgie plastique n'est pas un choix envisageable pour *moi*, je ne suis pas contre pour autant. Ce genre d'intervention a débuté en étant une chirurgie de reconstruction, et c'est une chose que je soutiens de tout cœur. Ma sœur Cindi a dû subir 23 interventions de ce genre après avoir été victime d'un horrible accident: alors qu'elle se rendait à l'aéroport, une cuve d'acide sulfurique est tombée sur elle depuis un pont au-dessus de l'auto-route. Celle-ci a fracassé son pare-brise et s'est répandue sur elle, brûlant son visage et son corps jusqu'à les rendre méconnaissables. La chirurgie plastique était la seule solution possible, et je suis très reconnaissante que ces interventions aient pu lui redonner des lèvres, un nez et une partie de ses paupières. Ma mère pourrait fournir un autre exemple. Sa poitrine était si énorme qu'elle devait se faire confectionner des soutiens-gorge sur mesure. Le poids créait des marques profondes et rouges sur ses épaules et elle avait constamment mal au dos. Quand j'étais petite, au moins une fois par jour, je l'entendais dire: «Si seulement je pouvais faire réduire cette poitrine». Bien entendu, c'était la dernière dépense à laquelle nous aurions songé, mais aujourd'hui, j'ai le cœur serré quand je pense à ma chère et vaillante maman, qui n'a jamais pu soulager son inconfort et ses douleurs extrêmes grâce à une réduction mammaire.

J'ai conscience qu'il s'agit là de deux exemples de nature médicale, mais même si votre objectif est purement esthétique, je pense qu'il est tout à fait acceptable lorsque la raison en est mûrement réfléchie. Par exemple, si vous avez une bonne image de vous-même, mais qu'en changeant une partie de votre corps que vous n'aimez pas, il vous semble possible de vous sentir encore mieux à l'égard de la vie, je crois qu'il est bon de suivre votre désir. En revanche, si vous avez recours à la chirurgie plastique parce que vous pensez pouvoir ainsi vous aimer davantage (ou que quelqu'un d'autre vous aimera davantage), je vous dirai qu'il vaut mieux vous en tenir loin, parce que même le plus beau visage ne peut pas garantir cela, et qu'il est peut-être temps de vous préoccuper de vos sentiments intérieurs.

Je crois fermement que l'on peut avoir belle apparence à n'importe quel âge sans passer sous le bistouri. Je serai également franche et vous dirai qu'en dépit du meilleur régime alimentaire, de l'exercice et des soins prodigués à notre peau, le corps change naturellement année après année et ce n'est pas toujours réjouissant. Les rides se creusent, la peau s'affaisse, parfois là où on s'y attend le moins. Par exemple, je présumais que mon visage allait vieillir, mais je ne m'attendais pas à voir mes coudes se rider, la peau de mes bras se plisser et celle de mes genoux se flétrir. Je pourrais choisir de détester mes bras, mes coudes et mes genoux et m'apitoyer sur mon sort, ou décider d'accueillir les effets de l'âge tout en soignant mon apparence de mon mieux. J'ai choisi cette deuxième attitude, parce que j'ai accepté, il y a longtemps, le fait que je ne pourrai pas conserver l'apparence de quelqu'un qui a 20 ou 30 ans, ni même 40 ou 50 ans, indéfiniment. D'ailleurs, à vrai dire, je ne le souhaite pas.

Le conseil de Robin. C'est parce que les muscles se distendent avec l'âge que la peau s'affaisse. Le meilleur moyen de ralentir le processus consiste à raffermir ces muscles. Certains exercices faciaux peuvent les renforcer et aider à retendre votre visage. L'autre bienfait de ces exercices est qu'ils favorisent la circulation et donnent à la peau un aspect lumineux. Voici quelques suggestions de Janet pour avoir l'air plus jeune, de façon très naturelle !

Exercice de raffermissement du cou et des mâchoires

Vous pouvez faire cet exercice debout ou assise. Cependant, comme il faudra pencher la tête en arrière, choisissez la position assise si vous avez des difficultés à maintenir votre équilibre.

- Debout ou assise, les épaules vers l'arrière, et détendez-vous, la colonne bien droite.
- Placez votre langue sur le palais et levez lentement le menton. Vous sentirez les muscles antérieurs du cou se contracter. C'est parfait ainsi.
- Lorsque les muscles seront contractés au maximum, votre tête sera attirée vers l'arrière. Tenez cette position et soulevez le menton vers le haut puis relâchez, un peu comme si vous vouliez mordre. Répétez 14 fois puis faites une pause de 30 secondes, la tête en avant et détendue.
- Recommencez la série de mouvements trois fois. Pour obtenir les meilleurs résultats, faites l'exercice matin et soir.

Exercice de raffermissement de la partie médiane du visage

Ce bref exercice comporte un étirement facial visant à relever les joues et à réduire l'affaissement de la peau dans la partie médiane du visage. (suite à la page suivante)

- Asseyez-vous, les épaules bien droites et le menton relevé.
- Placez doucement votre index sur le menton (pour créer une certaine résistance).
- Ouvrez lentement la bouche en tendant vos lèvres, qui appuieront alors sur vos dents. La partie médiane de votre visage commence à se tendre, abaissant la mâchoire tandis que vous ouvrez lentement la bouche.
- Avec votre index, poussez le menton vers le bas pour créer un peu de résistance, tout en regardant vers le haut et en penchant, mais légèrement, la tête en arrière. Votre bouche devrait être ouverte, les lèvres serrées et les yeux vers le haut. Relâchez.
- Lorsque vous sentez une tension musculaire maximale sur votre visage, tenez 20 secondes, puis relâchez. Répétez l'exercice huit fois, matin et soir.

Avoir atteint l'âge de 55 ans signifie que j'ai deux grands fils et une merveilleuse belle-fille, et que je suis mariée à un homme que j'aime et respecte depuis plus de 30 ans. Je suis en paix avec la voie que j'ai choisie et le rôle que j'ai joué auprès de mon mari et de mes enfants. Je suis si fière des hommes qu'ils sont devenus que, lorsque je suis en leur compagnie, je *veux* avoir l'air d'être leur mère. Erica, ma belle-fille âgée de 30 ans, est absolument magnifique (au-dedans comme au-dehors), et j'adore le rayonnement qu'elle dégage. Je suis si honorée d'être sa belle-mère que, lorsque je suis en sa compagnie, je *veux* que le monde entier sache qu'elle est ma belle-fille, et non pas qu'on se demande si je suis sa sœur. J'adore tout ce pour quoi j'ai travaillé et à quoi j'ai abouti au cours de ces 55 années et, même si je le pouvais, je n'en effacerais pas une seule année.

Cela ne veut pas dire que je ne souhaite pas paraître à mon meilleur pour mon âge. Certaines personnes croient que ces deux notions (assumer son âge et vouloir paraître à son meilleur) ne peuvent pas coexister. Je reçois un grand nombre de lettres et de courriels de gens qui en doutent. Pourtant, pour moi, vieillir avec grâce ne signifie pas accepter les effets de l'âge. Cela veut dire prendre soin de soi, de son apparence et comprendre qu'il n'est pas égoïste de le faire.

Beaucoup de gens me demandent ce que j'ai fait pour que ma peau ait l'air jeune et en santé. Curieusement, la meilleure chose que j'ai faite, qui était pourtant la moins intentionnelle, est de l'avoir protégée du soleil dès mon plus jeune âge. Toute jeune, j'avais la peau claire, les cheveux roux et des taches de rousseur, une combinaison qui, d'après les spécialistes, serait particulièrement sensible aux coups de soleil. Chaque été, nos vacances en famille consistaient à rendre visite à notre grand-mère paternelle, mamy Opal, à Norman (Oklahoma). Elle était hôtesse au restaurant du Holiday Inn et, tandis qu'elle travaillait, mon frère, mes sœurs et moi passions toute la journée à l'hôtel, pataugeant dans la piscine et prenant notre déjeuner dehors, un luxe qui, autrement, aurait été difficilement imaginable pour une famille aussi pauvre que la nôtre.

Mais tout cela a changé, à partir du premier jour des vacances, alors que j'avais 13 ans. Après des heures passées à jouer dehors et dans la piscine, j'ai attrapé un grave coup de soleil. Des cloques recouvraient mon visage et mon corps ; ma peau, à vif, était tellement brûlée que le plus léger effleurement me faisait l'effet d'un gifle. J'ai passé la nuit à me tordre de douleur tandis que mamy Opal m'appliquait des compresses trempées dans du lait glacé (les protéines du lait sont des anti-inflammatoires naturels qui calment la peau, tandis que son gras, combiné à son pH, apaise et assèche la peau). La douleur a duré plus d'une semaine, alors que ma peau craquait et que les cloques se transformaient en croûtes. Durant le reste de ces vacances — ainsi que tous les étés suivants —, mon frère et mes sœurs ont continué à s'amuser dans la piscine du Holiday Inn tandis que je restais sagement à lire sous un parasol, en portant des manches longues ainsi qu'un chapeau.

À partir de ce jour, j'ai tout fait pour éviter de m'exposer au soleil. J'avais 19 ans quand j'ai commencé à fréquenter Phillip et je me rappelle que sa mère et ses sœurs s'enduisaient d'huile pour bébé mélangée à de l'iode, une combinaison destinée à accélérer le bronzage en attirant plus de lumière. Ensuite, elles s'allongeaient sur une serviette dans le jardin et se faisaient rôtir au soleil cuisant du Texas, pendant des heures. Elles m'invitaient à me joindre à elles, mais, même si j'avais envie de mieux connaître la famille de Phillip, ma douloureuse expérience au Holiday Inn me poussait à décliner leur proposition. Et, vous en douteriez-vous, lorsque je leur reparle de ces moments, aujourd'hui, elles me disent qu'elles auraient mieux fait de rester à l'intérieur, car leur peau a beaucoup souffert du soleil. Même quand Jay et Jordan ont pris des cours de plongée et que nous allions en vacances dans les îles Cayman, je préférais rester à l'intérieur pour lire. Lorsque, à l'occasion, je m'asseyais à l'extérieur, je demeurais à l'ombre, entièrement vêtue, protégée par un écran solaire, un chapeau et des lunettes de soleil. Je faisais de même lorsque je devais marquer les points pour les équipes de baseball des garçons : j'emportais pour chaque match une chaise pliante, un petit parasol et un chapeau à large rebord.

Il est très étonnant que le soleil puisse avoir un tel effet sur le vieillissement de la peau, mais c'est la réalité. Au fil des ans, j'ai posé très souvent la question à des dermatologues : quel est le meilleur produit pour se protéger contre le vieillissement de la peau ? La réponse a été unanime : l'écran solaire. Cette réponse m'a d'abord surprise, car je m'attendais à ce qu'ils me parlent d'un produit outrageusement cher, qui aurait été composé d'ingrédients rares. Mais j'ai été convaincue en apprenant que 20 % seulement du vieillissement de la peau est dû à des facteurs génétiques, alors que 80 % résulte de l'accumulation des dommages occasionnés par le soleil, et qu'on appelle le « photovieillissement »[1]. En effet, les rayons solaires amincissent l'épiderme et détériorent deux de ses plus importants éléments structurels : le collagène et l'élastine. Le bon côté de cette révélation statistique stupéfiante est que nous pouvons faire beaucoup pour éviter les rides, le manque d'éclat et les taches que nous redoutons, en nous exposant le moins possible au soleil et en employant un écran solaire tous les jours de l'année. La situation est semblable, même si vous n'allez jamais à la plage et que vous ne vous allongez pas au soleil, car votre exposition au soleil demeure importante quand vous marchez pour vous rendre à votre voiture, à la boîte aux lettres ou au bureau, quand vous assistez en plein air aux matchs de vos enfants, ou lorsque vous conduisez (oui, des recherches démontrent que les rayons du soleil traversent les vitres, même fermées, d'une voiture). Toutes ces expositions s'additionnent et provoquent des dommages.

Malheureusement, les dangers du soleil vont au-delà de la simple coquetterie. Les rayons UV peuvent causer le cancer de la peau, une maladie potentiellement mortelle, qui touchera plus d'un million d'Américains cette année, selon la Fondation du cancer de la peau[2]. Cela dépasse tous les autres types de cancer réunis ! En fait, je suis étonnée de constater qu'en dépit des rapports largement diffusés sur l'incidence de cette maladie et sur le rôle du soleil dans l'accélération du vieillissement, les femmes continuent à se faire bronzer. Je reste particulièrement perplexe quand je vois les photos des actrices se dorant au soleil, puisque ces femmes travaillent dans une industrie où quelques rides de trop peuvent faire la différence entre le fait d'obtenir un rôle ou pas. D'autres femmes choisissent les cabines de bronzage parce qu'elles les croient plus sécuritaires, mais les recherches prouvent que c'est un mythe. En fait, certaines lampes de bronzage dégagent 12 fois plus de rayons UV que le soleil[3]. J'aimerais pouvoir en informer le million d'Américains qui se rendent au salon de bronzage tous les jours[4] !

Le conseil de Robin. Chaque mois, j'examine ma peau de la tête aux pieds pour m'assurer que mes taches brunes ou mes grains de beauté n'ont pas changé d'apparence, ou qu'aucun nouveau n'a surgi (deux signes éventuels de cancer de la peau). Je vous conseille d'en faire autant (et d'examiner également vos enfants, si vous en avez) et de recourir à un dermatologue pour un examen annuel. Si un tel examen ne convient pas à votre budget, sachez que l'Académie américaine de dermatologie offre des examens gratuitement dans tout le pays. (Consultez son site Web (www.aad.org), pour obtenir plus de renseignements.)

Outre la nécessité d'éviter le soleil, d'autres actions peuvent être commencées assez tôt dans la vie pour prévenir le vieillissement de la peau plus tard. La première consiste à dormir suffisamment et la seconde à éviter l'alcool et la nicotine. Dormir suffisamment était facile pour moi au début de la vingtaine, parce que je travaillais durant la journée et que je suivais des cours du soir, ce qui me laissait peu de temps (et d'argent) pour sortir tard. De plus, comme le père de Phillip et le mien étaient alcooliques, nous étions résolus à ce que ce problème ne fasse jamais partie de notre vie. Par conséquent, nous ne passions pas nos soirées dans des bars remplis de fumée. Je ne faisais pas cela en songeant particulièrement à ma peau, mais avec le recul, je me rends compte de l'effet considérable que cela a eu. Parfois, j'aimerais pouvoir en convaincre les nombreuses jeunes femmes que je rencontre ou certaines de ces célébrités dans la vingtaine, dont on entend inévitablement parler, qui vont de soirée en soirée. Je suis tout à fait d'accord avec l'idée de s'amuser et partager un verre de vin avec de bons amis, mais rester continuellement jusqu'au petit matin dans des bars remplis de fumée peut affecter le corps et la peau pour les décennies à venir. J'entends certaines jeunes femmes déclarer qu'il n'y a rien de mal à se coucher tard et qu'elles veulent profiter de la vie avant d'avoir des enfants et de devoir se ranger. Cela peut aller un certain temps, mais ce qu'elles ne réalisent pas, c'est que l'alcool qu'elles sirotent et les cigarettes qu'elles fument ont un effet dévastateur sur leur peau.

L'alcool déshydrate la peau et peut briser ou distendre les capillaires sur le nez et le visage. Fumer réduit l'apport d'oxygène et diminue la circulation du sang vers la peau, ce qui la rend terne et l'expose aux effets dommageables des radicaux libres qui détruisent les cellules cutanées et détériorent le collagène. En fait, une étude révèle que des rides invisibles à l'œil nu sont visibles au microscope chez des fumeurs d'à peine 20 ans[5]. Par ailleurs, fumer empêche la peau de guérir, ce qui accentue l'effet négatif du soleil, et il faut savoir que la fumée des autres nous affecte de la même manière. Janet Harris, une esthéticienne renommée, propriétaire du Skin Rejuvenation Center à Beverly Hills et créatrice d'une gamme de produits de soin, me dit savoir si une cliente à qui elle fait un soin de visage fume ou non, à cause de l'odeur de nicotine et des traces jaunes qui s'échappent des pores de sa peau (peu appétissant, n'est-ce pas?)

De plus, la période entre 23 h et 5 h est la préférée pour s'amuser, or c'est aussi la plus propice pour régénérer la peau. « Les cellules cutanées se renouvellent et se réparent naturellement au cours d'une des phases les plus profondes du sommeil, explique Janet. Par conséquent, si vous êtes debout une bonne partie de la nuit, vous manquez votre traitement antivieillissement naturel. » L'autre aspect important concernant votre peau la nuit est qu'il se produit une différence dans son pH, et qu'une meilleure circulation favorise alors la pénétration des ingrédients actifs contenus dans les produits contre les rides et l'acné. Ces ingrédients agissent davantage quand ils ne sont pas exposés au soleil, au vent ou à la sueur, comme c'est le cas lorsque vous les utilisez durant la journée.

L'autre problème avec les soirées tardives, c'est que si vous rentrez trop épuisée, il est possible que vous alliez directement au lit et que vous vous endormiez le visage encore tout maquillé (en plus de la fumée et autres poussières incrustées tout au long de la journée). J'ai pour règle rigoureuse de me démaquiller avant d'aller au lit. Je plaisante parfois en disant que même sous la menace d'un fusil, je n'irais pas me coucher sans nettoyer mon visage. (En fait, je ne suis même pas sûre que ce soit une plaisanterie.) Dès que j'ai commencé à me maquiller, alors que j'étais au secondaire, mes sœurs aînées m'ont recommandé de nettoyer mon visage à fond avant d'aller dormir, et je leur suis toujours reconnaissante de ce conseil. Certains soirs, quand je tombais de sommeil après avoir étudié ou travaillé, je me forçais malgré tout à laver mon visage. (Il m'est même arrivé de m'endormir dans un sofa, mais de nettoyer mon visage avant de gagner mon lit !)

Les dermatologues et les esthéticiennes auxquels j'ai posé la question ont tous confirmé ce que mes sœurs m'avaient appris : le maquillage, en s'ajoutant aux divers débris et huiles accumulés au cours de la journée, bloque les pores et provoque des comédons. De plus, les pores sales se distendent et se remarquent davantage. « Le maquillage étouffe la peau, qui ne peut pas respirer, précise Janet. C'est pourquoi il lui est plus difficile de se renouveler pendant le sommeil. » Même le maquillage des yeux comme le mascara pose un problème, car en séchant il provoque des cassures dans les cils. Ceux-ci, naturellement, deviennent plus clairsemés avec l'âge. Inutile d'accélérer le processus !

En dépit de mes bonnes intentions et des gestes positifs que j'ai posés pour ma peau, j'ai quand même souffert de divers problèmes cutanés. Alors que j'étais dans la vingtaine, j'ai découvert que j'avais une maladie appelée la folliculite, une inflammation des follicules pileux. Certaines formes de cette maladie se guérissent d'elles-mêmes, mais cette inflammation persiste encore aujourd'hui sur une toute petite partie de mon menton. Certaines prescriptions médicales m'ont aidée, mais la meilleure solution pour moi a été d'extraire les poils au moyen d'une pince à épiler pour ouvrir les follicules. Trente ans plus tard, des spécialistes comme Janet m'ont dit que ce problème pouvait être résolu grâce à l'épilation au laser, mais je me suis rendu compte que je trouvais relaxant d'enlever moi-même les quelque 25 poils en question.

Au début de la trentaine, j'ai été très surprise de développer de l'acné, un problème cutané que je croyais révolu depuis l'adolescence, tout comme mes cheveux gonflés et mon fard à paupières bleu. J'étais certaine que quelque chose n'allait pas, mais en rendant visite au dermatologue, j'ai appris que l'acné est tout à fait courante chez les femmes dans la trentaine ou la quarantaine, et qu'il leur arrive d'en souffrir même si cela n'a pas été le cas durant leur adolescence. Les spécialistes relient cet état aux changements hormonaux qui résultent de la grossesse, de la pilule contraceptive, du stress, de la périménopause et de la ménopause. J'ai également appris que mes pores sont obliques, ce qui rend plus difficile d'en retirer les saletés et l'huile. En se bouchant, ils avaient provoqué l'apparition de boutons sur les joues, le menton et le nez. Le problème, c'est que j'adorais les pincer et j'avais beaucoup de mal à m'en empêcher. Si je sentais une imperfection sous la peau, je la pinçais, impatiente de faire sortir le bouton. Mais cela aggravait les choses, car non seulement j'avais alors un bouton, mais également une marque sombre qui mettait des semaines voire des mois à disparaître. J'ai appris par la suite qu'il s'agissait d'une hyperpigmentation postinflammatoire qui survient quand la peau est enflammée par un bouton (même si vous n'y touchez pas) ou par une blessure, et que les cellules responsables de la fabrication des pigments réagissent en produisant un excès de pigmentation.

Mon dermatologue a essayé de traiter mon acné d'adulte au moyen de divers antibiotiques oraux, qui m'ont donné la nausée, ainsi qu'avec des gels et des lotions à application locale qui n'ont eu aucun effet. Finalement, il m'a suggéré de prendre de l'Accutane, un médicament oral puissant, prescrit pour l'acné modérée à sévère qui ne répond pas aux autres formes de traitement. Bien que je répugne à prendre des drogues synthétiques, surtout sachant que ce médicament était réputé pour ses forts effets secondaires, j'ai cru mon médecin quand il m'a affirmé que mon acné ne disparaîtrait pas d'elle-même. Trois mois plus tard, il n'en restait plus trace, et le problème n'est pas réapparu par la suite. (J'attribue également cette guérison à un meilleur équilibre hormonal et à la surveillance de cet équilibre, ce dont je parlerai au chapitre 5.)

Même si j'avais toujours pris soin de ma peau, j'ai augmenté ces soins d'un cran après mon expérience de l'acné adulte et après avoir appris que mes pores étaient obliques. À la suggestion d'une amie plus âgée, dont la peau est impeccable, j'ai commencé des traitements de visage. Dès mon premier rendez-vous au centre de soins corporels qu'elle fréquentait, après que ma peau a été frictionnée, massée et hydratée pendant une heure, j'ai compris que j'étais devenue accro. Non seulement ma peau en bénéficiait, mais mon esprit également. Pour une mère de deux enfants, toujours en train de courir et de tout faire pour tout le monde, c'était vraiment agréable d'avoir un peu de répit et de se laisser bichonner. Même si je ne pouvais pas me permettre ce soin de façon régulière, j'économisais pour pouvoir me l'offrir, ou je suggérais ces séances comme cadeau pour mon anniversaire ou à l'occasion des vacances. (Essayez cette méthode : cela facilite la vie à ceux qui veulent vous faire un cadeau et, du même coup, cela vous évite de rester coincée avec quelque chose qui ne vous plaît pas.) J'ai beaucoup appris de l'esthéticienne qui s'occupait de ma peau, et l'un de ses meilleurs conseils était de boire au moins huit verres d'eau par jour. J'ai immédiatement perdu un kilo, et j'ai aussi remarqué que mon teint était plus clair et plus frais que jamais. « Hydrater la peau de l'intérieur la gonfle et l'on voit moins les petites rides », m'a expliqué Janet. Cela lui donne aussi de l'éclat.

Le conseil de Robin. Je sais que l'une des raisons pour lesquelles je reçois tant de compliments sur ma peau vient de ce que Yolanda, une esthéticienne en pratique privée à Los Angeles, me fait des traitements du visage. Voici la composition d'un exfoliant qu'elle utilise et que j'adore : il faut mélanger quatre cuillères à soupe de sucre brun raffiné, une cuillère à soupe d'huile d'olive et les pétales écrasés de la moitié d'une rose rouge ou rose. Appliquer sur la peau mouillée et frotter doucement par mouvements circulaires pendant une ou deux minutes. Rincer à l'eau tiède, sécher en tapotant, puis appliquer sa crème hydratante préférée.

J'ai également commencé à utiliser un exfoliant que je fabrique moi-même en mélangeant une tasse de flocons d'avoine, une tasse d'amandes et une demi-tasse de miel dans le mélangeur jusqu'à consistance lisse. (Il peut se conserver plus d'une semaine au frigo. Il durcit et épaissit un peu, mais sortez-le à l'avance pour lui laisser le temps de s'assouplir, ou ajoutez un peu d'eau dans la paume de votre main.) Je l'applique en frictionnant doucement mon visage pendant une minute, puis je rince à l'eau froide avec un gant de toilette. D'après Janet et d'autres spécialistes de la peau, de même que pour les experts du maquillage, l'exfoliation est le geste le plus important que les femmes doivent accomplir à partir de 30 ans. Ceci, parce que les cellules de la couche supérieure de notre épiderme meurent constamment, cédant la place à de nouvelles cellules. Toutefois, en vieillissant, la capacité de notre peau à se débarrasser de ces cellules mortes diminue, et c'est pourquoi elle devient plus terne. L'exfoliation accélère le processus permettant de retrouver un éclat de jeunesse, et facilite la pénétration des crèmes de traitement contre les rides et l'acné, puisqu'elles n'en sont pas empêchées par une couche de cellules mortes. La surface de la peau devenant plus lisse, le fond de teint s'y applique facilement et a l'air plus naturel.

En abordant la quarantaine, je peux dire que j'avais pris grand soin de ma peau, je prenais des suppléments alimentaires et je surveillais mes taux d'hormones. Par conséquent, ma peau était vraiment belle. La seule chose que j'avais remarquée, c'est que mes pores s'étaient dilatés, comme si le fait qu'ils soient obliques ne suffisait pas! En réalité, cela est courant en vieillissant, car le collagène se dégrade et la peau se distend et s'étire légèrement. Si on y ajoute la gravité, il est normal que les pores aient l'air plus gros. De plus, comme le teint est moins tonique, la peau qui entoure les pores ne les dissimule plus autant. Ayant entendu dire qu'un FotoFacial[MD] pouvait contribuer à resserrer les pores et améliorer la texture de la peau, j'ai décidé d'essayer. Au cours de ces traitements non invasifs de 30 à 45 minutes, le médecin ou l'esthéticienne se sert d'un instrument, qui ressemble à une baguette magique, pour bombarder la peau d'un rayon de lumière intense, dont on dit qu'il est plus doux qu'un rayon laser.

Les traitements au laser exigent quelques jours de récupération, tandis qu'après un traitement de photorajeunissement, je pouvais faire mon covoiturage sans que rien n'y paraisse. Au bout d'une série de six traitements, mes pores s'étaient resserrés et ma peau semblait plus lisse.

Malgré cette expérience positive, voici une anecdote à retenir. Quelques mois après ma série de traitements, la directrice de l'établissement (que j'appellerai Sally) m'appela pour me dire qu'elle venait de recevoir un nouvel appareil qu'elle était impatiente d'essayer. «Il sera parfait pour ta peau», exulta-t-elle. Contrairement à ce que je fais habituellement, j'ai pris rendez-vous sans poser de questions. Je ne connaissais pas le nom de l'appareil, ni sa fonction et je ne savais pas pourquoi il me conviendrait si bien. Pour une raison quelconque, je me suis laissée emporter par l'enthousiasme de Sally et j'ai eu confiance: c'est une erreur que je ne commettrai plus. Avant de procéder au traitement, Sally m'a assuré que ce serait très relaxant et sans douleur. «Super», me suis-je dit, en installant mes écouteurs et en fermant les yeux. Sauf que, dès qu'elle a appliqué l'appareil sur ma peau, j'ai ressenti une vive brûlure. «Peut-être qu'il ne s'agit que d'un choc initial », ais-je pensé, jusqu'à ce que la sensation se reproduise plusieurs fois de suite. Je lui ai demandé d'arrêter. « Sally, ça me fait très mal. J'ai l'impression que tu me brûles la peau. »

« Vraiment ? Ce n'est pas normal. Je vais appeler le fabricant. »

Elle est allée dans la pièce d'à côté, puis elle en est revenue quelques minutes plus tard, blême. « Robin, je suis désolée, m'a-t-elle dit, presque en larmes. Par erreur, j'ai réglé l'appareil au degré le plus haut alors que j'aurais dû employer le plus bas ! »

Mon cou et ma poitrine étaient alors rouge vif et m'élançaient. Tout ce que je voulais, c'était rentrer chez moi. Au cours des jours suivants, la peau a commencé à se détacher en lambeaux pour ensuite tourner au mauve tandis que des croûtes se formaient. Je ne sais pas ce qui était le pire : la douleur ou la crainte que ma peau ne soit marquée ou endommagée à jamais. « Vouloir avoir la peau lisse ne justifie pas tout cela », ai-je pensé. Et pour ajouter à une situation pas très drôle, le premier livre de Jay venait d'être publié et, pour l'émission *Entertainment Tonight*, on me demandait une interview à titre de maman de l'auteur d'un best-seller primé par le *New York Times*.

Quelques jours auparavant, je grimaçais encore de douleur dès que quelque chose effleurait ma peau, mais par chance, le jour de l'interview, le mal avait suffisamment diminué pour que je puisse enfiler un col roulé (une bonne chose, car je ne peux qu'imaginer les rumeurs qui auraient circulé si on avait aperçu mes brûlures au niveau du décolleté). La morale de cette douloureuse expérience, c'est qu'il faut toujours être une consommatrice avertie, quoi que vous vouliez essayer. Posez des questions, et plutôt plus que moins. Renseignez-vous sur la nature du traitement, tâchez de comprendre pourquoi le médecin ou l'esthéticienne y voit un avantage pour vous, et informez-vous du nombre de traitements similaires qu'il ou elle a déjà effectués. Ne tenez rien pour acquis et faites votre propre recherche en consultant le site du fabricant, en obtenant une seconde opinion et en parlant à d'autres femmes qui ont déjà subi ce traitement.

Quelques années après ce fiasco, nous avons déménagé en Californie pour l'émission de Phillip. C'est là que j'ai découvert le traitement qui me donne cette fraîcheur de teint qui fait que les gens croient que j'ai subi un remodelage. Je vivais à Los Angeles depuis quelques mois seulement quand je suis allée dans un établissement de soins pour un traitement de visage. Une esthéticienne m'a suggéré d'essayer le traitement Medi-Lift, un soin de 45 minutes qu'elle pratiquait sur des femmes âgées de 20 à 70 ans. Après une recherche approfondie, j'ai pris rendez-vous. Le traitement se fait grâce à de petites électrodes posées sur tout le visage qui, durant 45 minutes, envoient des pulsations qui font travailler tous les muscles. Une séance équivaudrait à cinq heures de gymnastique destinée à tonifier la peau. J'ai subi la série recommandée de six traitements répartis sur trois semaines. Depuis ce moment, j'y retourne chaque mois pour une session d'entretien. (Comparativement à de nombreux autres traitements, le coût de celui-ci n'est pas exorbitant : il faut compter de 150 $ à 300 $ par traitement, selon l'endroit où vous habitez, aux États-Unis ou ailleurs.)

C'était il y a six ans et je vous jure que c'est ce traitement et le fait de m'être protégée du soleil qui ont conservé ma peau en bon état. Bien entendu, la génétique a certainement joué un rôle, car le niveau naturellement élevé de mes hormones de croissance et de testostérone (nous en parlerons davantage au chapitre 5) ainsi que leur équilibre général ont sûrement contribué à me préserver des rides. Cette aide a été si précieuse que, même durant la ménopause, je n'ai jamais souffert de sécheresse ou d'apparition de boutons, qui sont pourtant fréquentes.

En dehors d'un Medi-Lift et d'un traitement de visage chaque mois, ma routine quotidienne est relativement simple. Le matin, je me lave le visage à l'aide d'un nettoyant doux ne contenant ni huile ni savon (Purpose Cleansing Wash) ou une lotion nettoyante renfermant de l'acide éthylique de glycol et de l'aloès (Janet's Skin Care Daily Phacial Wash). Je connais des femmes qui ne se lavent pas le visage le matin, mais ma peau devient huileuse la nuit et, si j'y ai appliqué un produit traitant — comme une crème contre les imperfections ou les rides —, il peut y avoir des résidus qu'il est nécessaire d'enlever.

Après avoir nettoyé mon visage, je l'asperge d'eau la plus froide que je peux supporter (un truc que ma mère et mes sœurs m'on appris quand j'étais adolescente) afin de bien refermer les pores et donner de l'éclat à la peau. Ensuite, je sèche mon visage en le tapotant avec une serviette, puis j'applique un sérum (Janet's Skin Care Kine-pHirm Serum) et une crème hydratante et réparatrice (Janet's Skin Care Moisture-Phase Repair Cream with Kine-pHirm), les deux renfermant du kine-pHirm, de l'aloès ainsi que des vitamines C et E, sur la peau encore humide du visage, du cou et du décolleté, ce qui aide à bien retenir l'hydratation. Lorsque tout est sec, j'applique un filtre solaire hydratant (Janet's Skin Care Sunscreen Moisturizer) d'indice 15, renfermant un écran solaire de dioxyde de titane, puis mon fond de teint. Pour le corps, j'utilise sous la douche un exfoliant fait maison (½ tasse de chacun : sucre brun, sucre blanc, gros sel et canneberges émincées, mélangés à 2 c. à soupe d'huile essentielle), ensuite, après m'être séchée, j'applique une couche épaisse de Frederick Fekkai Shea Butter, une crème qui renferme du beurre de karité naturel et des protéines d'amandes, et qui adoucit la peau. Si j'ai besoin d'une hydratation plus importante, je mélange dans mes mains quelques gouttes de l'une de mes huiles essentielles préférées, comme la lavande, à une lotion pour le corps, et j'applique le tout.

Après une journée d'enregistrement de deux ou trois émissions, j'ai le visage recouvert d'un épais maquillage que je nettoie dès que je rentre à la maison. Je commence par appliquer un gant de toilette très chaud sur mon visage pour favoriser la dissolution de tout ce maquillage, surtout le mascara. J'enchaîne avec un nettoyant doux (et je me lave le visage plutôt deux fois qu'une afin de m'assurer d'avoir tout retiré), puis j'utilise mon exfoliant maison fait d'avoine, de miel et d'amandes. Pour terminer, j'applique de la Dr. Eckstein's Azulene Paste, une crème calmante à base d'azulène. Le mot « pâte » sonne étrangement et rappelle la pâte à modeler de la maternelle plutôt que des soins de la peau, mais je ne jure que par cela. Je l'étends comme un masque et cela nourrit ma peau, la laissant lisse et éclatante après une longue journée à supporter un lourd maquillage. (Je ne rince pas, car la peau absorbe la crème.) Le cas échéant, j'en mets également sur une imperfection, qui disparaît alors rapidement.

La journée passe, puis, avant d'aller au lit, j'applique simplement la crème réparatrice (Janet's Skin Care Moisture-Phase Repair Cream with Kine-pHirm), un baume pour les lèvres (Jack Black Intense Therapy Lip Balm), qui renferme du beurre de karité, de l'huile d'avocat, de la vitamine E, du thé vert et de l'écran solaire Avobenzone, et enfin, au besoin, une crème traitante de nuit comme la LCP Vitamin C Infusion Cream, qui contient une forte concentration en vitamine C sous forme stable, qui l'aide à bien pénétrer la peau. Puis, j'en ai terminé et je me concentre sur la partie la plus importante des soins de la peau : profiter d'au moins huit heures de sommeil. Bien entendu, si je dois me remaquiller pour sortir le soir, je reprends le nettoyage du visage et l'opération de retrait du fond de teint à mon retour.

Le conseil de Robin. Janet a bien voulu partager avec moi la recette d'un merveilleux traitement hydratant de nuit que je trouve formidable. Mélanger ½ c. à thé d'huile de primevères à deux gouttes d'huile de néroli (on peut se les procurer dans les magasins d'aliments naturels). Les propriétés hydratantes de ces huiles contribuent à soigner la peau sèche et leurs effets aromathérapeutiques apaisent et favorisent la détente.

Avant de terminer, je désire mentionner deux autres aspects importants concernant les soins de la peau et la beauté. Je suis tout à fait en faveur des produits qui ne coûtent pas cher (et il en existe aujourd'hui des quantités) ou même des produits maison, mais je crois également que si un produit, un procédé ou un traitement peut vraiment changer votre vie, alors il mérite peut-être qu'on y investisse un peu d'argent. J'ai entendu des femmes dire que leur vie et leur estime personnelle avaient été transformées par le blanchiment de leurs dents, qu'elles cachaient depuis des décennies. Ou qu'après avoir eu recours à un traitement professionnel contre l'acné, elles avaient ressenti de la confiance en elles-mêmes pour la première fois de leur vie. C'est arrivé à l'une de mes sœurs.

Il y a environ 20 ans, alors que nous discutions au téléphone, ma sœur exprima sa frustration d'avoir le visage recouvert de poils. Il ne s'agissait pas de quelques poils par-ci par-là ni d'une moustache, mais d'une véritable barbe qu'elle devait raser tous les jours, parfois deux fois. (Elle se levait même avant son mari pour se raser afin qu'il ne remarque rien.) Nous avions discuté de ce problème très souvent auparavant, mais ce jour-là, je m'aperçus que cela ruinait véritablement sa vie et affectait son estime personnelle. En larmes, elle m'expliqua à quel point elle était embarrassée chaque fois qu'elle sortait de chez elle ou qu'elle rencontrait quelqu'un qu'elle connaissait. Nous n'avions pas beaucoup d'argent à l'époque, mais j'ai alors décidé d'économiser pour l'aider à payer l'électrolyse, un procédé qui utilise le courant électrique pour détruire les follicules pileux de façon permanente. Lorsque je le lui ai dit, elle a fondu en larmes. Au bout de 10 séances, les poils avaient disparu. Cela a changé non seulement son apparence mais également, et surtout, sa façon de se percevoir, de même que sa vision de l'avenir. Pour moi, cela n'a pas de prix.

L'autre aspect concernant les soins de la peau et la beauté, c'est qu'ils ne font pas que soigner l'apparence; ils agissent également sur l'esprit. De nombreuses téléspectatrices m'écrivent qu'elles se sont négligées et je leur réponds ce que je vous dis maintenant, qu'il faut vous retrouver. Même si vous êtes une épouse et une mère, vous restez une femme. Vous devez conserver du temps pour vous-même, et même le geste le plus simple, comme appliquer une crème sur la plante des pieds, prendre un bain ou vous offrir une séance dans un centre de soins corporels, peut faire des merveilles pour votre moral aussi bien qu'à votre corps. La vie est dure, c'est donc une raison de plus de vous faire plaisir. Vous seriez étonnée de ce qu'un masque de soin (disponible en pharmacie pour quelques dollars, ou simplement fabriqué avec un blanc d'œuf fouetté) peut faire pour vous rajeunir mentalement. C'est aussi un message qui rappelle à votre famille, et surtout à vous-même, que c'est une attention dont vous *valez la peine*.

Ce qui procure à chacune un sentiment de sérénité varie d'une femme à l'autre, mais en ce qui me concerne, rien ne vaut un long bain. Et je me rappelle exactement quand cela a commencé. Jay n'avait que trois semaines et je me trouvais encore à l'étape où prendre une douche relevait du défi. Ce soir-là, quand Phillip est rentré, je lui ai mis le bébé dans les bras et me suis dirigée vers la douche. Je n'avais pas fini de me rincer les cheveux quand j'ai aperçu Phillip soulevant Jay au-dessus de la porte de la douche. Il était tout rouge (mais adorable quand même) et il hurlait de toute la force de ses petits poumons.

« Phillip, qu'est-ce que tu fais ? » ai-je demandé.

« Il pleurait et j'ai pensé que s'il te voyait, il cesserait », a-t-il répondu.

Le conseil de Robin. Lorsque nous avons été enceintes, ma grand-mère nous a conseillé, à mes trois sœurs et à moi-même, d'acheter du Bag Balm, un produit riche en lanoline utilisé comme baume sur les pis des vaches depuis 1899, et qu'il est possible de se procurer dans un magasin de nourriture pour le bétail. Elle nous a conseillé de l'appliquer sur le ventre pour éviter les verge-tures. C'est peut-être une coïncidence, mais le fait est qu'aucune d'entre nous n'a de marques. Sachez cependant que ce produit est loin d'être élégant : il est épais et collant et sent le caoutchouc. Mais il a été efficace et je continue à l'employer aujourd'hui, sur les talons, les coudes ou les lèvres, en cas de sécheresse.

«S'il te plaît, sors d'ici avec le bébé et laisse-moi finir ma douche tranquille», ai-je répondu. En terminant ma toilette, j'ai décidé qu'à partir de ce moment-là, je devais établir des limites et faire en sorte que ma famille sache que j'allais rester une femme tout en étant épouse et mère. À partir de ce jour, je me suis réservé au moins une demi-heure pour moi toute seule après le dîner. Je confiais les enfants à Phillip et j'allais profiter de la salle de bain. En grandissant, mes fils ont compris que lorsque maman entrait dans la salle de bain, c'était son temps à elle et, qu'à moins de circonstances exceptionnelles, pour toute question ou préoccupation, ils devaient s'adresser à leur père.

Mes enfants sont adultes maintenant, mais je continue mon rituel. Parfois, j'applique un masque, j'allume une bougie et je mets de la musique. D'autres fois, je réduis l'intensité de la lumière et je m'installe dans la baignoire. Je réfléchis à un problème, je planifie ma semaine ou alors je ne pense à rien. À la fin de mon bain, je dis souvent une prière pour remercier le Seigneur de toute sa bonté. Je lui demande aide et guidance pour ma vie et celle de mes êtres chers. Je me concentre sur une seule personne ou parfois sur plusieurs, il peut s'agir de ceux que j'aime, mais aussi d'étrangers. Bien entendu, je lui demande toujours de protéger mon mari et mes enfants.

Pour le prix d'un sac de bonbons mauvais pour la santé ou d'une revue sans intérêt, vous pouvez acheter du bain moussant ou une belle bougie pour créer votre oasis de paix. Mais, surtout, c'est une façon de signaler aux autres que vous n'êtes pas qu'une mère et une épouse. Phillip dit toujours que notre attitude indique aux autres comment nous traiter. Montrez à votre famille, à vos amis et à vous-même que vous êtes une femme qui mérite des soins et de l'attention.

Réponses du spécialiste

Janet Harris, esthéticienne réputée, propriétaire du Skin Rejuvenation Center (centre de rajeunissement de la peau) à Beverly Hills, et créatrice d'une gamme de produits de soins pour la peau.

Si je ne peux me permettre qu'un seul traitement, quelle serait la meilleure chose à faire pour ma peau ?

Il n'existe aucun traitement à part la chirurgie qui puisse effacer les années. Plutôt que de dépenser une grosse somme pour un traitement chez un dermatologue ou dans un centre de soins corporels, il vaut mieux acheter un bon produit à utiliser quotidiennement, car c'est l'entretien à long terme qui peut améliorer la peau.

Je trouve qu'il y a beaucoup de produits contre le vieillissement. Lequel est vraiment efficace contre les ridules et les rides ?

Les rides se creusent avec l'âge, car les structures de soutien de la peau, le collagène et l'élastine, se dégradent en raison du vieillissement naturel, des effets du soleil et des mouvements répétitifs comme sourire, plisser les yeux, manger, parler, embrasser, fumer et froncer les sourcils. (Le collagène des octogénaires est quatre fois plus dégradé que celui des personnes dans la vingtaine[6].) Les études démontrent que plus de 80 % des femmes affirment que c'est sur le contour des yeux qu'elles découvrent les premiers signes de l'âge. C'est normal, car la peau est plus fine dans cette région que n'importe où ailleurs sur le corps, et s'altère donc plus facilement. De plus, nous ne mettons habituellement pas d'écran solaire près des yeux, car ce peut être irritant et par conséquent, le pourtour des yeux subit davantage les dommages du soleil. (On peut éviter cela en se procurant une crème pour les yeux qui renferme de l'écran solaire, plus douce que l'écran solaire qu'on applique sur le reste du corps.)

Par ailleurs, la peau se dessèche de 10 % à chaque décennie, à cause d'une diminution des œstrogènes, d'un moins bon fonctionnement des glandes qui produisent de l'huile, et d'une moindre capacité à retenir l'humidité. Malheureusement, une peau plus sèche fait ressortir les rides et vieillit plus rapidement. Cela signifie qu'il est impératif de bien hydrater notre peau en combinant deux gestes : appliquer un bon hydratant et boire beaucoup d'eau, car, au moins temporairement, l'eau gonfle la peau et les rides sont moins apparentes. Il vaut mieux appliquer votre lotion ou votre crème sur une peau encore humide afin d'en favoriser la pénétration. (Cela vaut pour le visage comme pour le corps.)

Le meilleur moyen de prévenir ou d'atténuer les rides consiste à utiliser des produits qui renferment des ingrédients qui stimulent la production de collagène ainsi que ceux qui protègent la peau contre des dégâts plus sévères. Parmi ces ingrédients, mentionnons :

- L'acide rétinoïque, une forme de vitamine A (appelée aussi rétinol dans les produits vendus sans ordonnance, ou Retina-A dans les crèmes à plus fort dosage vendues sous ordonnance.) La plupart des médecins sont d'accord pour dire qu'il s'agit du meilleur produit pour atténuer les rides, car environ 30 années de recherches prouvent qu'il contribue à stimuler le collagène et à accélérer le renouvellement des cellules. La plupart des formes d'acide rétinoïque rendent la peau plus sensible au soleil. Par conséquent, prenez bien soin de vous protéger avec un écran solaire. Par ailleurs, cessez de l'employer deux ou trois semaines avant un traitement comme l'épilation à la cire ou au laser. Si vous choisissez un produit d'ordonnance, utilisez-le sous surveillance médicale, pendant 4 à 12 semaines seulement, car il peut amincir la peau. Évitez-le si vous êtes enceinte ou si vous allaitez.

- L'acide hyaluronique est naturellement produit par l'organisme pour conserver la fermeté de la peau (il se trouve également dans nos articulations), mais sa quantité diminue avec l'âge. On croit qu'il rajeunit la peau et contribue donc à prévenir les rides, sans compter qu'il attire l'humidité de l'air pour préserver l'hydratation de la peau.

- Les peptides sont un groupe d'acides aminés censés aider la peau à produire du collagène et à bloquer les enzymes qui dégradent les structures de soutien de la peau, prévenant ainsi les rides.

- Les antioxydants contribuent à lutter contre les rides en protégeant la peau des dommages des radicaux libres; certains stimuleraient la production de collagène. Appliquez-les localement au moyen de produits qui contiennent du thé vert, du thé blanc, de la vitamine C, pour n'en nommer que quelques-uns, ou absorbez-les en sirotant du thé vert et en mangeant beaucoup de fruits et légumes.

- Les acides glycolique et salicylique se retrouvent souvent dans les trousses d'exfoliation employées à domicile. Ils sont utiles pour l'exfoliation de la couche supérieure de la peau, et peuvent estomper les fines ridules.

Avertissement : La plupart de ces ingrédients sont efficaces pour les rides peu profondes et les ridules. Quand il s'agit de marques profondes, de meilleurs résultats seront obtenus en consultant un dermatologue ou en suivant un traitement dans un centre de soins pour la peau.

J'ai une vingtaine d'années. Que devrais-je faire aujourd'hui pour conserver une belle apparence ?

Il n'est jamais trop tôt pour commencer à prendre soin de votre peau. Vous serez peut-être étonnée d'apprendre qu'avant même d'atteindre l'adolescence ou la vingtaine, vous avez déjà été exposée aux dommages causés par l'environnement; or, *prévenir* les rides, les taches brunes et autres ennuis est plus facile que d'y remédier.

Pour demeurer superbe, il y a trois règles à suivre : *exfolier*, *hydrater* et *protéger*. Exfolier en débarrassant la peau des cellules mortes pour donner de l'éclat; hydrater en appliquant une bonne crème hydratante et en buvant huit verres d'eau par jour; protéger au moyen d'un écran solaire (sans oublier les mains, car elles sont les premières à montrer des signes de vieillissement) et d'antioxydants, tous les deux en applications locales, et grâce à un régime alimentaire santé.

Mes produits de soin ne semblent pas avoir beaucoup d'effet. Est-ce parce qu'ils ne coûtent pas cher, comparativement aux produits haut de gamme?

Non. Il existe de nombreux ingrédients actifs très efficaces, comme le rétinol, les peptides ou la vitamine C, pour n'en nommer que quelques-uns, faciles à trouver dans les gammes moins chères. De plus, plusieurs des compagnies qui fabriquent des produits de soin abordables, comme Neutrogena, Aveeno et Dove, ont les moyens financiers et les ressources nécessaires pour effectuer des recherches visant à s'assurer de leur efficacité. C'est peut-être parce qu'il n'y a pas assez longtemps que vous utilisez vos produits, qu'ils vous semblent inefficaces; accordez-leur au moins trois ou quatre mois avant de juger de leur efficacité. Dans le monde actuel, tout le monde veut des résultats immédiats, mais la peau demande du temps. N'oubliez pas qu'il faut 30 jours à une cellule cutanée pour se renouveler. Soyez patiente et laissez le temps aux produits de faire leur travail.

Quel est le meilleur moyen d'éviter les boutons?

Plusieurs ingrédients contribuent à faire disparaître les boutons et à prévenir l'apparition de nouveaux. L'acide salicylique est un agent antibactérien qui enlève la couche de cellules mortes susceptibles de boucher les pores, et qui contribue à en retirer les saletés et l'huile. Recherchez les produits nettoyants et traitants qui renferment 2 % d'acide salicylique, mais 1 % si vous avez la peau sensible. Le peroxyde de benzoyle est également efficace contre les boutons, car il nettoie les pores et tue les bactéries. Il vaut cependant mieux l'éviter si la peau est sèche ou sensible, car il peut être irritant et asséchant. Si les produits courants contre l'acné n'ont pas d'effet au bout de quelques semaines, consultez un dermatologue qui vous prescrira des crèmes plus puissantes ou vous recommandera des traitements au laser ou une photothérapie.

La façon dont vous soignez votre peau peut provoquer l'apparition de boutons ou de l'acné. En effet, plusieurs personnes croient que des boutons surgissent parce que leur peau est sale ; alors, ils l'exfolient et la lavent trop. Cela irrite davantage une peau déjà abîmée, et cela la déshydrate. La peau réagit en produisant encore plus d'huile, ce qui favorise l'apparition de boutons. Par ailleurs, si vous utilisez un fond de teint, assurez-vous que l'étiquette indique qu'il est « non comédogène », c'est-à-dire qu'il ne bouche pas les pores, ou procurez-vous un fond de teint minéral, plus doux pour la peau.

Que puis-je faire contre la cellulite ?

Vous n'êtes certainement pas la seule à vouloir vous défaire de cette peau d'orange. On estime à plus de 85 % le nombre de femmes qui ont de la cellulite[7]. Par conséquent, s'il existait une cure efficace, vous en auriez entendu parler. Il y a tout de même moyen d'en atténuer l'apparence. Le mieux, c'est de faire de l'exercice et perdre du poids, car la graisse superflue sous la surface de la peau rend la cellulite plus visible. Même si aucune n'est miraculeuse, les crèmes renfermant du thé vert caféiné, du ginkgo, du menthol ou du camphre peuvent être temporairement efficaces, car elles accroissent la circulation locale et accentuent le drainage lymphatique. Pour obtenir de meilleurs résultats, vous aurez peut-être envie d'investir dans un traitement offert dans un centre de soins qui utilise le VelaShape[MD], le seul appareil approuvé par la Food and Drug Administration (FDA) pour traiter la cellulite. On dit qu'il contribue à brûler les graisses et à augmenter la circulation dans les régions touchées. Encore une fois, ce n'est pas magique, mais cela peut vous aider.

Au fur et à mesure que je prends de l'âge, les taches brunes et les dyschromies sont plus nombreuses sur ma peau. Avez-vous un conseil ?

La plupart des taches brunes et des dyschromies résultent de votre exposition au soleil dans le passé. L'exfoliation peut aider à enlever les cellules mortes et à faire disparaître une partie des pigments en même temps. Vous pouvez utiliser des produits gommants pour le corps ou le visage, ou encore des trousses de microdermabrasion ou des exfoliants chimiques, comme ces lotions vendues en pharmacie qui renferment de l'acide glycolique, salicylique ou lactique, pour n'en nommer que quelques-uns. Il est par ailleurs possible d'éclaircir les taches au moyen de l'hydroquinone, le plus puissant agent éclaircissant vendu sans ordonnance qui stoppe la production d'enzymes par les pigments cutanés. Appliquer un écran solaire FPS 30 tous les jours éclaircit beaucoup les taches brunes et prévient l'apparition de nouvelles, car il n'y a plus de stimulation à produire davantage de pigments. Si ces traitements maison ne sont pas efficaces, consultez un dermatologue ou un spécialiste dans un centre médical de soins de visage.

Avez-vous des conseils concernant l'essai de nouveaux produits ?

- Effectuez un essai en appliquant un peu du produit derrière l'oreille ou sur le haut de la cuisse interne et attendez 24 heures pour voir si des rougeurs, une irritation ou une sensation de brûlure surviennent.
- Suivez les directives à la lettre. Parfois, nous croyons qu'en appliquant une plus grande quantité du produit, il sera plus efficace, alors qu'en fait cela augmente les risques d'effets secondaires.
- Ne combinez pas un produit contenant des ingrédients actifs à un autre renfermant les mêmes, car cela pourrait modifier son efficacité et provoquer une irritation.

Quelle sorte d'écran solaire devrais-je me procurer ?

Les meilleurs écrans solaires sont ceux qui bloquent à la fois les rayons ultraviolets B (UVB), qui brûlent la peau, et les rayons ultraviolets A (UVA), qui pénètrent plus profondément, causant des signes de vieillissement tels que les rides, les taches brunes et la perte d'élasticité. Recherchez les termes « à large spectre » ou « protection UVA/UVB » sur l'étiquette ou les ingrédients qui offrent cette protection, comme le dioxyde de titane, l'oxyde de zinc, l'avobenzone (aussi appelé Parsol 1789) et l'encamsule (aussi appelé Mexoryl). Choisissez l'écran dont le facteur de protection est le plus élevé. Malgré l'écran solaire, restez à l'ombre quand les rayons du soleil sont le plus intenses (habituellement entre 10 h et 16 h), portez des lunettes soleil (assurez-vous que leurs verres bloquent 99 à 100 % des rayons UV) de même qu'un chapeau à large rebord (au moins 6 cm).

Comment savoir si une tache est due à l'âge ou à un cancer de la peau ?

Il n'est pas toujours facile de les distinguer : dans le doute, consultez un dermatologue. Voici quelques signes avertisseurs d'un cancer de la peau, mentionnés par la Fondation du cancer de la peau[8] :

- Une tache ou une lésion qui, constamment, démange, fait mal, se transforme en croûte, saigne ou se crevasse.
- Une lésion toujours non guérie au bout de deux semaines.
- Une excroissance, un nævus, un grain de beauté ou une tache brune dont la texture, la couleur ou la taille change, qui est asymétrique, qui a un pourtour irrégulier, qui est de taille supérieure à la gomme au bout d'un crayon, et qui apparaît après l'âge de 21 ans, ou encore, qui a l'apparence d'une perle translucide, brun clair ou multicolore[7].

Le bien-être
et les hormones

L e médecin m'a remis une pile d'ordonnances en me disant de les faire exécuter et de commencer à prendre les médicaments aussitôt. Je suis restée pour le moins perplexe. Je n'étais dans son cabinet que depuis quelques minutes et, à part les civilités d'usage, c'était la première chose qu'elle me disait.

Une semaine plus tôt, j'étais venue consulter ce nouveau médecin (que j'appellerai D^{re} Gold), parce que je ne me sentais plus moi-même. J'avais parfois des palpitations suivies d'une sensation de chaleur qui irradiait tout mon corps. De plus, j'étais mélancolique. Je savais que la cérémonie de fin d'études de Jay me rendait émotive, mais je trouvais que je passais trop de temps à réfléchir à son avenir et à me sentir triste.

Ces symptômes n'étaient ni intenses ni accablants et ne m'empêchaient pas de fonctionner. Mais comme je connaissais bien mon corps, je savais que quelque chose clochait. J'en parlai à ma sœur

Cindi, qui pensa qu'il pouvait s'agir d'un problème avec ma glande thyroïde, et me suggéra de faire un examen. Ma gynécologue ayant récemment pris sa retraite, j'ai pris rendez-vous avec la D^{re} Gold, sur la recommandation d'une amie. Quand je lui parlai de mes symptômes en évoquant la possibilité d'un dérèglement de la thyroïde, elle acquiesça en ne posant que peu de questions, puis elle fit un prélèvement sanguin.

Quelques jours plus tard, lorsque je suis retournée la voir pour obtenir les résultats, elle m'a tendu la pile d'ordonnances. « Votre vie ne sera plus jamais la même dorénavant », m'a-t-elle déclaré.

« Quels sont tous ces médicaments et comment savez-vous qu'ils *me* conviennent ? » ai-je demandé. Le ton de sa réponse exprima une évidence : « Robin, vous êtes en ménopause. Et vous devez prendre ces médicaments, voilà tout. » Je m'attendais presque à ce qu'elle ajoute : « Et maintenant, partez. » J'étais furieuse.

Elle se dirigeait vers la porte, mais s'arrêta avant de l'ouvrir. « Je vous ai également prescrit un antidépresseur, car votre humeur va *beaucoup* changer. Faites-moi confiance, vous me remercierez plus tard. » La confiance était bien le dernier sentiment que m'inspirait ce médecin, qui prenait congé de moi après m'avoir prescrit les mêmes médicaments qu'à n'importe quelle autre femme périménopausée ou ménopausée venue la consulter. Pour empirer les choses, elle n'avait pas pris le temps, pas même une petite minute, pour m'expliquer ce qu'elle avait prescrit ou pour me demander si j'avais des questions. Je crois sincèrement que l'un des dons que les femmes possèdent, c'est l'intuition. Comme elle est habituellement exacte, lorsque votre instinct vous dicte quelque chose, écoutez-le. Je ne savais pas grand-chose de la périménopause et de la ménopause, et je me sentais un peu dépassée, mais j'étais néanmoins certaine que les médicaments que la D^{re} Gold prescrivait systématiquement ne me convenaient pas.

En me rendant à la partie de baseball de Jordan, je retournais tout cela dans ma tête. Je me suis assise aux côtés de Cora, une maman et amie, qui était aussi médecin : « Pourrais-tu jeter un coup d'œil à ces ordonnances et me dire de quoi il s'agit ? » L'écriture illisible ne me permettait pas de déchiffrer le nom des médicaments.

« Pourquoi toutes ces ordonnances ? » m'a demandé Cora.

« Mon médecin dit que je suis en ménopause. »

« Ce sont tous des médicaments synthétiques. Est-ce vraiment ton choix ? » À ce moment, les termes « médicaments synthétiques » m'étaient étrangers. J'ai donc haussé les épaules. « Et alors ? »

« Attends-toi à de grands changements dans ton corps. »

À la fin de la partie, je me suis précipitée à la maison. J'ai mis en route mon ordinateur pour chercher des renseignements non seulement sur les médicaments prescrits mais également sur la ménopause. Tout comme le soir où ma sœur m'avait fortement suggéré de me débarrasser sans tarder de mes 3 kilos en trop plutôt que d'attendre d'en avoir 25 à perdre, ou comme le jour où ma mère est morte, ce moment a été un point tournant dans ma vie. J'ai réalisé peut-être encore davantage combien il est important de prendre notre santé en main, puisque personne d'autre ne pourra le faire à notre place. Par ailleurs, je me suis rendu compte que je n'allais pas laisser un médecin qui prescrit la même chose à toutes les femmes me dire ce que je devais faire (m'ensevelir sous une pile d'ordonnances) ou ce que je devais ressentir (que la vie connue à ce jour était révolue). Ce fut le début d'une véritable campagne de recherches pour mieux connaître ce que je ferais absorber à mon organisme ainsi que pour m'éduquer très sérieusement sur les drogues synthétiques et une possible alternative naturelle. Avant la ménopause, je ne me posais pas de questions sur les médicaments synthétiques, car tout ce que je prenais se résumait à des antibiotiques occasionnellement et à l'Accu-tane. Mais maintenant que mon corps subissait des changements et que j'avais besoin d'aide pour traverser ce passage, je devais me renseigner.

Depuis le décès de ma mère, j'avais commencé à prendre soin de moi comme si ma vie en dépendait, parce que je ne supportais pas l'idée que mes fils se retrouvent sans leur maman ni Phillip sans sa femme. Mais ce jour-là, dans le cabinet du médecin, j'ai réalisé que non seulement je devais surveiller ma santé, mais que je devais également faire tous les efforts nécessaires pour me sentir le mieux possible. Souvent, quand j'entends des femmes parler de ménopause, j'ai l'impression qu'elles ne font que la subir, un peu comme pour les turbulences en avion : on ferme les yeux, on retient son souffle et on serre l'accoudoir en attendant que ça passe. L'ennui, c'est que contrairement aux turbulences, les effets de la périménopause et de la ménopause peuvent durer des mois et des années et il est improbable que de les ignorer vous aidera à vous sentir mieux. D'ailleurs, une telle attitude risque plutôt d'empirer les choses. En ce qui me concerne, je trouvais inacceptable de supporter les bouffées de chaleur, les sautes d'humeur, les sueurs nocturnes ou tout autre symptôme de cette transition de la vie. Je ne voulais pas simplement m'en sortir tant bien que mal, mais plutôt traverser cette période en possession de tous mes moyens.

Mes symptômes n'étaient pas très prononcés ni débilitants, comme ils le sont pour un grand nombre de femmes, mais ils me dérangeaient. Ce sont les bouffées de chaleur, que 65 à 75 % des femmes connaissent[1], qui me gênaient le plus. Je me rappelle notamment une journée où je recevais à déjeuner au profit d'un hôpital. Je bavardais avec de charmantes dames que je venais de rencontrer, en leur servant des mimosas, quand mon cœur s'est soudain mis à battre trop fort et qu'une sensation de chaleur a parcouru tout mon corps. L'instant d'après, j'étais en sueur au point que l'eau coulait dans mon cou et sur mes lèvres. Je n'ai pas aimé la sensation d'être contrôlée par mon corps (plutôt que l'inverse) et j'ai donc décidé de devenir une spécialiste de ma ménopause, pour mieux comprendre en quoi celle-ci affectait mon corps et ce qu'il fallait faire pour me sentir mieux. En plus des recherches en ligne, je me rendais dans une librairie, dans la section santé. J'y feuilletais des piles d'ouvrages sur la ménopause et j'achetais ceux qui m'intéressaient. Tous les soirs, tandis que Phillip regardait la télé et que Jay et Jordan faisaient leurs devoirs, j'étudiais ces livres.

Ces recherches m'ont notamment appris la différence entre péri-ménopause et ménopause. La périménopause est la période durant laquelle le corps commence sa transition vers la ménopause. Les spécialistes disent que cette période varie d'une femme à l'autre, mais qu'elle s'étend sur une période de deux à huit ans. Quoiqu'elle commence généralement dans la quarantaine, la périménopause débute parfois entre 35 et 40 ans. Durant cette période, les taux d'œstrogènes et de progestérone grimpent et chutent tandis que les règles fluctuent, c'est-à-dire qu'elles durent plus ou moins longtemps, sont plus abondantes ou plus légères, ou alors plus espacées. La ménopause commence quant à elle un an après que les règles ont complètement cessé. Ces deux périodes s'accompagnent d'une panoplie de symptômes pénibles et perturbants tels que le gain de poids, l'insomnie, l'acné, la dépression, le manque de libido, les trous de mémoire, la sensibilité des seins, les sautes d'humeur, l'anxiété, la pilosité au visage, les ballonnements et la sécheresse vaginale, pour n'en nommer que quelques-uns ; et il existe divers moyens d'y remédier.

Ce sont les hormones bio-identiques qui représentaient pour moi la meilleure option. Les éléments précurseurs de ces hormones proviennent surtout de plantes, comme le soja ou l'igname, et sont ensuite transformés en hormones humaines. « Bio-identiques » est un raccourci pour désigner les « hormones biologiquement identiques à celles du corps humain », c'est-à-dire qu'elles sont tout à fait comme celles que Dame Nature a prévues au départ, explique Jim Hrncir du Las Colinas Pharmacy Compounding and Wellness Center, à Irving (Texas). Les études suggèrent que ces hormones, lorsqu'elles sont bien équilibrées, renferment le meilleur potentiel pour minimiser les risques pour la santé et améliorer la qualité de vie des femmes. Mais il est important de préciser que les suppléments vendus sans ordonnance, comme de prétendues hormones bio-identiques, le sont (selon la Food and Drug Administration — FDA) en toute illégalité, puisqu'il est nécessaire de consulter un professionnel de la santé, seul à même de prescrire des hormones équilibrées qui correspondent à vos besoins, qui assurera aussi un suivi approprié. »

En revanche, les hormones synthétiques n'ayant, elles, rien de naturel, il faut parfois des jours voire des semaines pour assimiler chaque dose. «Ces substances étant étrangères à l'organisme, elles peuvent engendrer des effets secondaires inutiles et désagréables, tout en augmentant les facteurs de risque», explique Jim. Selon une étude effectuée par l'Institut national de la santé, l'hormonothérapie synthétique augmente les risques de maladie cardiaque, d'accident vasculaire cérébral et de cancer du sein. Ces risques me préoccupaient d'autant plus vivement que ma mère était morte de maladie cardiaque et mon père d'un cancer du poumon.

Avant de poursuivre et d'expliquer les choix que j'ai faits pour gérer ma ménopause, je veux qu'il soit bien entendu que *je sais très bien* que de nombreux médecins respectables ne partagent pas mon opinion sur les hormones synthétiques, et qu'ils croient que, prises sous une supervision compétente, celles-ci peuvent entraîner des effets très positifs. Ce que je me propose de décrire, c'est ce en quoi je crois, et qui s'est avéré efficace *pour moi*. Je ne suis pas médecin et je n'ai pas l'intention de vous dire quoi faire, mais je désire plutôt partager avec vous cette période de ma vie. Je ne suis spécialiste ni en biochimie ni en biotechnique, mais je connais bien mon corps et j'estime être très bien renseignée. Ce qui suit, c'est la stratégie qui m'a permis d'aborder et de traverser la ménopause facilement. Je sais que ce n'est pas la seule voie possible, mais elle a été tellement efficace pour moi que j'ai très envie de vous en parler. Cela dit, il est important de discuter de vos propres symptômes avec un professionnel de la santé avant de prendre quelque médicament ou supplément (naturel ou pas) que ce soit.

Après avoir beaucoup lu pour pouvoir comparer les hormones bio-identiques aux hormones synthétiques, je souhaitais trouver un médecin enclin à privilégier les premières. Comme ces hormones naturelles doivent d'abord être composées, c'est-à-dire qu'il faut les adapter spécialement et les mélanger sous la supervision d'un médecin, j'ai décidé de m'adresser aux pharmaciens préparateurs de mon quartier, à Dallas (c'est ainsi que j'ai rencontré Jim Hrncir). Je leur ai demandé quels médecins prescrivaient des hormones naturelles, et lesquels parmi eux avaient des patientes qui semblaient revenir périodiquement. (Pour trouver un pharmacien préparateur dans votre région, visitez le site Web de l'International Academy of Compounding Pharmacists au www.iacprx.org.) On m'a recommandé trois médecins, j'ai pris rendez-vous avec chacun d'entre eux, et j'ai choisi celui que j'aimais le mieux.

Je sais que tout le monde n'a pas le temps ou les moyens d'aller rencontrer plusieurs médecins (une partie seulement de mes consultations était couverte par mes assurances), mais en consulter au moins un est déjà un bon début. Comme il s'agit de votre santé, voici mon conseil. D'abord, informez-vous de ce que vos assurances couvrent. Puis, si vous devez payer de votre poche pour le genre de soins que vous désirez, je vous suggère de renoncer à quelque chose pour pouvoir assumer ces frais : ce pourrait être un dîner hebdomadaire au resto, des chaussures neuves ou des fêtes d'anniversaire très coûteuses pour vos enfants. Car rien n'est plus important que votre santé. Par ailleurs, bien que les pharmaciens ne remplacent en aucune façon les médecins, leur vaste formation en fait de précieux alliés dans votre équipe de soins de santé. Dans le passé, il m'est arrivé d'appeler Jim et d'autres pharmaciens pour leur demander un rendez-vous. Je leur apportais alors les résultats de mes prélèvements sanguins, je leur faisais part des suggestions du médecin, et je leur demandais leur opinion. (Ai-je mentionné que j'aime faire beaucoup de recherches ?) Un pharmacien peut également être utile si vous devez patienter plusieurs semaines avant un rendez-vous avec un médecin, pour obtenir simplement une suggestion susceptible de vous soulager en attendant.

Sur la recommandation d'un pharmacien, j'ai commencé à voir un homéopathe qui m'a soulagée des bouffées de chaleur au moyen de l'acupuncture et d'un remède homéopathique appelé sépia. Vous pouvez acheter la sépia dans un magasin d'aliments naturels, mais celle proposée par un homéopathe est souvent plus efficace. (À titre de renseignement : lorsque l'on prend des médicaments homéopathiques, il est important de remuer le contenant de telle sorte que les granules tombent directement sous la langue sans avoir à les toucher avec les mains.) Je voulais me débarrasser des bouffées de chaleur, mais je désirais également savoir *pourquoi* j'en avais. C'est ainsi que j'ai consulté l'un des médecins prescrivant des hormones naturelles. Il m'a fait un prélèvement et a demandé au labo d'évaluer toutes les hormones couramment affectées durant la périménopause et la ménopause, notamment les différents oestrogènes, la progestérone, la testostérone, la DHEA et la prégnénolone. (Si vous avez encore des règles, le meilleur jour pour un prélèvement serait, selon Jim, le 19e ou le 20e de votre cycle, car c'est à ce moment que la progestérone et les œstrogènes sont le plus élevés.)

De plus, parce que la ménopause s'accompagne souvent d'hypothyroïdie, mon médecin a demandé à un laboratoire une évaluation du taux de mes hormones thyroïdiennes T3 (l'hormone thyroïdienne active) et T4 (une réserve hormonale), ainsi que mon taux de TSH, une substance produite par la glande pituitaire (hypophyse), qui vient stimuler la glande thyroïde et qui indique à l'organisme la quantité d'hormones thyroïdiennes dont il aura besoin. Mon bilan sanguin a révélé que je ne produisais pas suffisamment d'œstrogènes et de progestérone et que mon taux d'hormones thyroïdiennes était bas. Le médecin m'a alors prescrit les hormones naturelles appropriées. Je me rappelle avoir été très surprise d'apprendre que c'est la progestérone, et non pas les œstrogènes, qui atténue les bouffées de chaleur. Lorsque j'ai découvert cela, j'ai pris de la progestérone et je n'en ai plus souffert. Le médecin m'a également prescrit des suppléments. Après quelques ajustements, je me suis sentie redevenir moi-même. D'ailleurs, je me sentais encore mieux. Non seulement les bouffées de chaleur et les sautes d'humeur avaient disparu, mais j'avais plus de résistance que jamais, je dormais comme une souche et me sentais vibrante et pleine d'énergie.

Ce qui m'a également beaucoup aidée dans ma transition vers la ménopause, c'est d'en parler avec ma famille. Petite, je me souviens d'avoir vu ma mère toute rouge, en sueur et irritable, nous prévenant : «Ne venez pas me déranger!» tandis qu'elle se retirait dans sa chambre pour de longs moments durant la journée. Je me rends compte aujourd'hui qu'elle souffrait de sa ménopause, mais, enfant, je ne pouvais m'en douter, et cela m'inquiétait beaucoup. J'étais donc déterminée à ce que mes fils, alors âgés de 11 et 17 ans, ne s'inquiètent pas pour moi; je ne souhaitais pas non plus faire de ma traversée de la ménopause un sujet tabou. Or, si je voulais que ma famille ait une attitude positive à l'égard de la ménopause, je devais, moi-même, avoir cette attitude positive. Je crois que c'est particulièrement important si vous avez des filles qui, un jour, en feront l'expérience elles aussi. Vous n'aimeriez certainement pas qu'elles redoutent cette étape naturelle, à laquelle elles devront elles aussi faire face à leur tour.

Pour aider ma famille, j'ai réuni mes fils et je leur ai dit «Voici ce qu'il en est. Je suis en ménopause et cela signifie que mon corps réagit de diverses façons et il se peut que je sois différente parfois. Il n'y a rien de grave. Il s'agit d'un processus naturel dans la vie d'une femme, mais cela suppose que certaines choses vont devoir changer.» Jay et Jordan s'agitèrent un peu, pas trop sûrs de ce que j'allais leur dire ensuite. «Par exemple, je vais maintenant dormir nue, à cause de mes sueurs nocturnes. Cela veut dire que vous ne pourrez plus entrer simplement dans notre chambre le soir pour nous dire que vous êtes rentrés ou pour nous souhaiter bonne nuit. Vous devrez frapper d'abord et attendre qu'on vous dise d'entrer.» J'ai vu qu'ils avaient compris, malgré leur air perplexe, laissant entendre qu'ils avaient reçu un peu trop d'information. (Mais je pense qu'ils auraient vraiment eu trop d'information, en m'apercevant dans ma tenue de naissance, si l'un d'eux était entré sans prévenir!) Plus tard, ce jour-là, Jordan m'a offert un objet précieux gagné au parc d'attractions : un petit vaporisateur muni d'une hélice de ventilation au capuchon.

« Voilà, maman, ça t'aidera à te rafraîchir. » (Voilà bien de quoi faire pleurer une maman en pleine ménopause !)

Mes fils n'ont pas été les seuls avertis. J'ai également prévenu le thérapeute de l'Amérique. « Tu sais que Jay s'en va à l'université et que je vis en même temps tous ces changements hormonaux. Il se peut que je sois plus irritable parfois, ai-je dit à Phillip. J'aurai besoin que tu m'accompagnes dans mon cheminement et que tu sois patient. »

« D'accord, bien sûr », a-t-il répondu.

« Il faut que tu saches autre chose, ai-je ajouté. Cela ne te donne pas le droit de blâmer ma ménopause pour toutes mes mauvaises humeurs ou pour les tiennes. » Il a acquiescé de nouveau.

Je ne sais pas ce qui m'a poussée à faire ces remarques, mais elles m'ont été d'une grande utilité. Le fait est que beaucoup d'hommes sont décontenancés par le côté émotif des femmes en soi, alors on peut imaginer leur confusion quand l'épouse qu'ils ont connue depuis des années se met soudain à pleurer pour un rien, se met en colère sans raison apparente ou se dénude entièrement la nuit (quoique je crois que sur ce point, ils ne se plaindront pas). Il faut parler franchement et ouvertement de l'expérience que vous vivez, et expliquer ce qui se passe. Après tout, si vous êtes perturbée par ces changements, imaginez comment ils se sentent. Je me rappelle une émission dans laquelle Phillip écoutait un mari perplexe, dont l'épouse traversait difficilement la ménopause. Phillip a commenté : « Vous devez comprendre qu'il s'agit d'une réalité entièrement biologique pour votre femme, et qu'elle ne s'est pas réveillée un matin en décidant que la vie serait désormais différente pour tout le monde. » Bien dit !

Le conseil de Robin. Travaillez de concert avec votre médecin plutôt que de le laisser être la seule autorité pour des questions qui vous concernent. Votre médecin est le spécialiste de la santé et vous êtes la spécialiste de votre corps. Vous devez conjuguer les forces de chacun afin de trouver les solutions qui favoriseront votre bien-être. J'effectue tellement de recherches sur ce que je ressens que, lorsque je vais consulter un médecin, je sais d'avance de quoi il ou elle me parlera. Je ne dis pas que j'en sais autant qu'un médecin. Certainement pas, car je m'adresse à lui pour obtenir conseil et expertise. (Et vous *devez* prendre garde à toute la désinformation qui circule sur Internet.) Je m'assure simplement d'avoir une idée des questions que le médecin devrait me poser et des examens qu'il devrait me suggérer.

Phillip m'a souvent dit qu'il était très content que je l'aie prévenu des effets de ma ménopause, car autrement, à certains moments difficiles, il se serait demandé : « Qui es-tu et qu'a-t-on fait de ma femme ? » Il a eu une belle attitude à mon égard à cette époque. Je me souviens de certains jours où je me sentais d'humeur maussade et où il s'enquérait : « Pour qu'on se comprenne bien, puis-je savoir s'il s'agit d'une période de trouble hormonal ou si j'ai fait quelque chose de travers ? » Si la réponse était que mes hormones étaient en cause, le fait même d'avoir posé la question allégeait l'atmosphère et me faisait rire.

J'ai aussi obtenu le soutien de Phillip en le gardant informé de ce que je vivais et apprenais. Par exemple, lorsque j'étais en train de lire, je m'arrêtais parfois pour l'instruire : « Phillip, écoute ce qui m'arrive » ou « Écoute ce que je dois faire ». Il se montrait très intéressé et compréhensif, et s'il lui est arrivé d'en avoir assez d'être interrompu durant un match à la télé, il ne l'a jamais laissé paraître. En apprenant tant de choses sur mon corps, j'en ai du coup appris certaines sur le corps de mon mari, et c'est ainsi que je l'ai convaincu de prendre certains suppléments. Il fait tellement confiance à mes recherches et à mon travail ardu qu'il accepte de prendre tout ce que je lui suggère (il s'en porte beaucoup mieux, d'ailleurs) et il me laisse même l'emmener faire un bilan sanguin de temps en temps.

Le conseil de Robin. Aujourd'hui, j'ai découvert de merveilleux médecins qui m'aident à équilibrer mes hormones, mais lorsque je cherchais le bon spécialiste, voici quelques éléments qui m'ont aidée et m'aident encore :

- Posez des questions à l'avance. Comme je ne voulais prendre que des hormones naturelles, la première question que je posais, avant de fixer rendez-vous, visait à connaître le point de vue du médecin sur les hormones naturelles par rapport aux hormones synthétiques.
- Préparez-vous au rendez-vous. J'apporte une liste de mes préoccupations et de mes symptômes, ainsi que des notes précisant le moment ils se sont produits et comment je me suis sentie. Apportez également des notes sur des questions d'ordre général comme le pourquoi de votre fatigue au moment de votre réveil (j'ai personnellement envie de m'activer le matin et si ce n'est pas le cas, je veux savoir pourquoi).
- Écoutez attentivement. Il est important de porter attention aux indications du médecin sur la façon d'utiliser les médicaments. Parfois, à la pharmacie on notera simplement « au besoin » plutôt que des directives d'emploi plus précises sur l'étiquette.
- Faites votre recherche. Même si je fais confiance à mon médecin, j'effectue des recherches sur ses suggestions en rentrant chez moi. Si vous n'êtes pas à l'aise avec les

propositions qu'il vous fait ou que vous ne les comprenez pas, posez des questions, allez chercher une seconde opinion et parlez à d'autres femmes qui vivent la même chose que vous.

• Allez voir ailleurs si vous ne vous sentez pas à l'aise avec votre médecin. Il n'y a pas de mal à en chercher un autre. (Votre santé est trop importante pour vous pensiez d'abord à ménager la susceptibilité de quelqu'un.)

Quand nous avons déménagé en Californie il y aura bientôt sept ans, l'équilibre de mes hormones était sous contrôle, mais, pour que cela demeure ainsi, je me suis mise sans tarder en quête d'un praticien orienté vers l'hormonothérapie naturelle. Au cours des quatre ou cinq premières années, j'ai rencontré quelques médecins dont certains me plaisaient bien, mais sans en être entièrement satisfaite ; j'ai donc continué à chercher. Aujourd'hui, quand je tente de trouver un spécialiste (qu'il s'agisse d'un médecin ou d'un coiffeur), je tente de m'informer en ayant recours à diverses relations jusqu'à ce que je trouve. Au risque d'avoir l'air indiscrète, je pose toujours des questions aux femmes que je rencontre. Il y a plus d'un an, je me faisais couper les cheveux par une nouvelle coiffeuse nommée Lainie. Je savais qu'elle avait 44 ans et j'avais remarqué son énergie, son optimisme et sa grande forme. Je me suis dit « Elle doit faire quelque chose qui lui convient bien », et je lui ai demandé comment elle équilibrait ses hormones. Quand elle m'a parlé de son régime naturel, proposé par le Hall Center à Santa Monica, où l'on se spécialise dans la gestion de l'équilibre hormonal, l'inflammation, le stress surrénal et les troubles métaboliques, j'étais suffisamment intéressée pour téléphoner le jour même.

Le conseil de Robin. Écoutez votre corps ! Je le fais parfois tout en priant ou en méditant. J'essaie alors de visualiser ou de ressentir comment j'aimerais que mon corps se sente. Nous cherchons toujours à visualiser l'image que nous aimerions avoir, mais jamais comment nous voudrions nous sentir. Cela permet de donner un sens à ce que vous cherchez à obtenir tout en vous aidant à exprimer comment vous vous sentez (ou comment vous voudriez vous sentir, et ce qui manque pour y arriver) à votre médecin ou à un professionnel de la santé.

Mon rendez-vous m'a permis de rencontrer Prudence Hall, M.D., fondatrice et directrice médicale du Hall Center, spécialisée en gynécologie et en médecine fonctionnelle, et Howard Liebowitz, M.D., directeur du Hall Center et spécialisé en médecine fonctionnelle, en médecine antivieillissement et en médecines internes parallèles. « Notre objectif consiste à remplacer les hormones manquantes par des hormones naturelles bio-identiques et à corriger les causes à la source plutôt que de traiter les symptômes en surface, m'a expliqué la D^{re} Hall. Nous nous concentrons également sur le régime alimentaire, le mode de vie, l'acupuncture et les thérapies physiques au besoin. » Quand elle a ajouté qu'ils percevaient leurs clients comme « les premiers défenseurs de leur propre bien-être », puis qu'elle m'a expliqué les résultats de mes examens comme personne ne l'avait jamais fait auparavant, j'ai compris que j'étais à la bonne adresse. Après cette première série d'examens, la D^{re} Hall m'a dit : « Je suis surprise que vous n'ayez pas de souci de poids, car votre taux d'œstrogènes est vraiment bas. Cela confirme les bienfaits de votre entraînement sérieux et de votre bonne alimentation. » (Voilà une autre bonne raison de faire de l'exercice, en plus du plaisir de pouvoir enfiler votre jean préféré !)

« Je *suis* en forme et je surveille ce que je mange, fis-je, mais au cours des derniers mois, j'ai constaté la formation d'un bourrelet à la taille, qui n'y était pas avant. »

« Eh bien, nous allons nous en occuper », a répondu calmement la D^re Hall, en laissant entendre que non seulement c'était normal mais tout à fait gérable. Je m'émerveillais de la différence entre son attitude et celle du Dr Gold. Les Drs Hall et Liebowitz ont simplement augmenté mon taux d'œstrogènes naturels, et m'ont expliqué pourquoi cela contribuait à réduire les graisses à la taille, que beaucoup de femmes accumulent au moment de la ménopause. « Lorsque les œstrogènes diminuent au cours de la ménopause, cela entraîne une insulinorésistance, c'est-à-dire que l'organisme ne métabolise plus les sucres aussi efficacement, a expliqué docteur Liebowitz. Par conséquent, quand vous en absorbez, celui-ci va se loger sous forme de graisses dans des régions du corps où il y en a déjà. Chez les femmes, c'est le ventre. En augmentant les œstrogènes, vous métabolisez mieux le sucre et, si vous faites de l'exercice et que vous mangez sainement, il est possible de réduire ce bourrelet à la taille. » Cela a fonctionné pour moi. Peu après cet accroissement de mes œstrogènes, j'ai maigri et me suis sentie beaucoup mieux.

« Une autre raison du gain de poids durant la ménopause, et des changements dans la masse musculaire et la peau, c'est la diminution de l'hormone de croissance humaine », a ajouté le Dr Liebowitz. Curieusement, je suis née avec un taux très élevé de testostérone et d'hormones de croissance humaine. En fait, il y a plusieurs années, l'un des premiers médecins que j'ai consultés a demandé à ce que mes tests sanguins soient refaits, car il croyait que le laboratoire avait commis une erreur. Mais il n'y avait pas d'erreur. C'est certainement une des raisons pour lesquelles ma peau est peu ridée ; c'est également ce qui m'aide à rester mince et à construire une masse musculaire.

Il y a maintenant 10 ans que ma ménopause a commencé. Avec le recul, je me rends compte que plus j'ai fait de recherches et appris, plus j'ai acquis le sentiment de maîtriser ma vie et mon corps, et plus mes craintes se sont atténuées à l'égard de cette étape de la vie. Je sais que dans le passé, nos mères et nos grand-mères parlaient à voix basse du fameux « changement », mais je me suis dit que cette période n'allait pas m'affecter. J'ai plutôt décidé d'accueillir ce changement avec sérénité. Pourquoi ne serait-ce pas possible, puisque cela fait partie du processus normal et naturel de vieillissement qu'expérimenteront toutes les femmes de la planète. J'ai décidé d'aborder sous un jour positif une expérience que, tout comme la maternité, les femmes sont seules à pouvoir connaître. J'ai pensé : « Le moment est venu pour ma ménopause. Peut-être que d'autres femmes de mon âge ne la connaîtront que dans 10 ans, mais le temps est venu pour moi ». J'ai perçu la ménopause comme une occasion d'assumer la responsabilité de mon corps, et de choisir comment vivre le reste de ma vie.

Je souhaite vraiment que d'autres femmes se sentent aussi bien que moi et c'est l'une des raisons pour lesquelles je parle de mon expérience. Quel que soit votre âge, je veux que vous envisagiez ce passage de la vie sans craindre qu'il soit négatif. Vous devez simplement faire quelques recherches, afin que ces connaissances vous aident à mieux comprendre ce qui se passe dans votre corps, et vous guident pour savoir quoi faire pour vous sentir mieux. Cela m'amène à un autre point : vous ne devriez pas attendre la périménopause ou la ménopause pour faire évaluer vos taux d'hormones. « Le SPM (syndrome prémenstruel), des règles irrégulières ou très abondantes, un gain de poids ou l'épuisement peuvent signaler un dérèglement hormonal ou un trouble thyroïdien, explique Jim. Ces soucis peuvent se révéler pénibles et déranger votre vie alors qu'il suffit parfois d'augmenter une hormone déficiente ou en équilibrer une autre pour vous soulager. » Voilà pourquoi je pense que toutes les femmes devraient se renseigner sur leur corps et leurs hormones, et non pas seulement celles qui s'approchent de la ménopause.

Avant mes 45 ans, je ne savais rien des variations hormonales que nous subissons d'une décennie à l'autre, ni à quel point cela peut nous affecter, mais je regrette de ne l'avoir pas su. Car j'aurais alors commencé à me préoccuper de leur taux dès la trentaine. En faisant des bilans sanguins et en surveillant les variations, j'aurais pris tous les suppléments et hormones naturelles nécessaires dès cette époque, puis dans la quarantaine ; ce qui fait que je n'aurais probablement jamais éprouvé le moindre symptôme de ménopause, le moment venu. Quoi qu'il en soit, ma ménopause a commencé à 45 ans et, grâce à tous les suppléments et aux hormones naturelles que j'ai pris, j'en ai assez peu souffert.

J'ai emmené Erica, ma belle-fille âgée de 30 ans, ainsi que ses deux sœurs (ce sont des triplées) effectuer un bilan sanguin ; elles équilibrent désormais leurs hormones. Comme beaucoup de femmes de leur âge, elles croyaient qu'elles étaient épuisées en raison de leurs nombreuses occupations liées à leur carrière et à leur famille. Elles acceptaient cet état des choses, d'autant plus que toutes leurs amies se sentaient comme elles. Sauf que ce n'est pas parce que tout le monde ressent la même chose que c'est normal pour autant. Les résultats de leurs tests sanguins ont révélé que la fatigue que les trois sœurs acceptaient comme un effet de la trentaine n'avait rien de naturel. Toutes trois avaient un taux d'hormones thyroïdiennes bas. Elles prennent maintenant des hormones naturelles et se sentent mieux que jamais. (À un point tel qu'elles ont convaincu leur mère de prendre l'avion pour la Californie afin d'effectuer elle aussi des tests sanguins au Hall Center.)

L'autre raison pour laquelle je crois que nous devons toutes nous renseigner à l'avance sur la périménopause et la ménopause, c'est que ce passage débute à des moments variables (qui peuvent s'étendre de 1 à 10 ans) et s'accompagne de toute une gamme de symptômes qui diffèrent d'une femme à l'autre. Cela signifie que vous ne traverserez pas cette période en même temps que vos meilleures amies ou vos sœurs (c'est ce qui s'est passé pour moi) ; et même si c'était le cas, votre expérience pourrait être fort différente de celle des autres. La plupart d'entre nous pensent que nous saurons que nous sommes en ménopause quand nos règles cesseront. Toutefois, lorsque vous êtes en périménopause, vous pouvez subir quelques symptômes tout en continuant d'avoir des règles et croire que cela n'a rien à voir avec la ménopause ! C'est ainsi qu'il arrive que beaucoup de femmes ne « se sentent pas très bien », mais sans en connaître la raison. Si c'est votre cas, vous n'êtes pas la seule. J'ai été surprise récemment de rencontrer Lisa qui, quoique médecin, était en ménopause depuis des années sans le savoir. Nous étions assises côte à côte dans un dîner. L'hôtesse allait ouvrir la porte-fenêtre, mais elle s'informa d'abord : « Est-ce que ça vous ira, ou risquez-vous d'avoir trop froid ? »

« Froid ? s'est alors exclamée Lisa. Il y a 10 ans que je n'ai pas eu froid ! » C'est à ce moment que j'ai remarqué ses cernes sous les yeux et son teint terne et sa peau très sèche. Un peu plus tôt dans la soirée, elle s'était plainte de fatigue et de léthargie. À la manière d'un détective réunissant des preuves, mon cerveau commençait à réfléchir et je n'ai pas pu m'empêcher de lui poser quelques questions, un peu plus tard, quand nous nous sommes retrouvées seules. « Je ne veux pas être indiscrète, mais puis-je vous poser une question ? »

« Bien sûr », a répondu Lisa.

« Faites-vous quelque chose au sujet de vos hormones ? » Elle fit non de la tête.

« Avez-vous encore vos règles ? »

« Oui, dit-elle. En fait, sauf il y a trois ans, quand je n'en ai pas eu pendant quelques mois, je suis assez régulière. »

« Avez-vous mal à la tête tous les jours à 15 h ? »

« Oui, dit-elle. Comment le savez-vous ? »

« Je pense que vous devriez faire un bilan sanguin, parce que vous êtes en périménopause. Je ne crois pas que vous devriez souffrir ainsi. » C'est alors qu'elle m'a dit qu'elle était médecin. J'étais étonnée. Ce qui n'a pas été le cas quand elle m'a appelée après son rendez-vous au Hall Center pour me dire qu'elle était en ménopause et que ses hormones et sa thyroïde étaient à la baisse.

Je sais que certains me trouvent fouineuse, mais en réalité je suis passionnée par le fait d'être une femme et d'aider d'autres femmes à se sentir mieux. Il est facile de laisser quelques symptômes faire partie de notre vie quotidienne. Mais en fait, la vie est déjà assez difficile comme ça. Un peu de fatigue ou un gain de poids par-ci, de l'irritabilité ou des ballonnements par-là la rendent encore plus pénible, et il n'est pas nécessaire qu'il en soit ainsi. Alors, quand il s'agit de ménopause ou de tout autre trouble de santé, je vous suggère fortement d'être proactive. Vous n'êtes pas obligée d'endurer des malaises. Il y a toujours quelque chose à faire pour y remédier ; il vous faut simplement agir.

Par exemple, une amie proche m'a dit récemment qu'elle luttait contre un surplus de poids et qu'elle se retrouvait en train de pleurer à tout moment de la journée chez elle. Ma première réaction a été de lui demander « Ça ne te dérange pas ? » Bien sûr que ça la dérangeait, mais elle acceptait la situation sans se rendre compte qu'elle pouvait y remédier. Parfois, nous sommes tellement habituées à nous sentir mal, tout en constatant que c'est le cas de bien d'autres femmes, que nous finissons par croire que c'est normal.

Cela est arrivé à ma nièce, il y a quelques années, alors qu'elle avait 26 ans. Elle était chez moi avec son bébé de huit semaines, m'avouant à quel point elle se sentait épuisée. Puis, elle ajouta : « Bien sûr, c'est normal quand on vient d'avoir un bébé ». « En réalité, ce n'est pas si normal, et tu n'es pas obligée d'accepter d'être fatiguée simplement parce que tu es une jeune maman. » Il va de soi que nous sommes toutes extrêmement sollicitées quand nos enfants sont petits, mais pourquoi ne pas faire le maximum pour se sentir au mieux malgré tout ? Après notre conversation, ma nièce a consulté son médecin et découvert que sa thyroïde était très à la baisse. Elle était fatiguée à cause de sa vie très occupée, mais plus que la normale, en raison de sa thyroïde. Grâce à quelques suppléments, elle a retrouvé tous ses moyens. Beaucoup de femmes se sentent coupables de dire : « Mes enfants et la vie que je mène prennent tout mon temps. Pas étonnant que je sois irritable, que je ne dorme pas (ou que je sois grosse) ». Mais il n'est pas nécessaire qu'il en soit ainsi. Nous n'avons pas à nous excuser de ce que nous ressentons. Il est temps de maîtriser la situation et de faire les premiers pas pour nous sentir mieux.

Croyez-moi, vous ne regretterez jamais d'avoir pris des mesures pour être en meilleure forme, sans compter que vous vous sentirez plus forte de l'avoir fait. C'est ainsi que je me sens. Plutôt que d'être la patiente numéro 346 qui aurait quitté le cabinet de la D^{re} Gold, il y a 10 ans, pour aller faire exécuter sa pile d'ordonnances, j'ai pris la responsabilité de mon corps. J'ai fait mes devoirs et je considère que l'expérience a été très positive, car j'étais correctement préparée. Ma transition vers la ménopause, puis le vécu de cette période se sont très bien déroulés. Je n'ai jamais connu de phase aiguë et je sais que tout mon travail et mon orientation constante vers des solutions santé sont les raisons pour lesquelles, à 55 ans, je mange à peu près tout ce que je veux, je dors bien, j'ai de l'énergie à revendre et, malgré certaines fluctuations normales, mon poids est stable. Mon corps et ma santé travaillent en ma faveur et je me sens mieux que jamais. Je sais qu'il peut en être de même pour vous, quel que soit votre âge !

Réponses des spécialistes

Jim Hrncir, pharmacien au Las Colinas Pharmacy Compounding and Wellness Center, à Irving (Texas) — www.lascolinaspharmacy.com

Prudence Hall, M.D., fondatrice et directrice médicale du Hall Center à Santa Monica (Californie), spécialisée en gynécologie et en médecine fonctionnelle.

Howard Liebowitz, M.D., directeur médical du Hall Center et spécialisé en médecine fonctionnelle, en médecine antivieillissement et en médecines internes parallèles.

Frank Lawlis, Ph.D., psychologue, spécialiste du sommeil et auteur de *The Stress Answer* et de *The IQ Answer*.

Comment savoir si ma thyroïde fonctionne mal ?

La glande thyroïde, située à la base du cou, est un puissant petit centre hormonal qui régit le métabolisme et contrôle la température corporelle, la digestion et d'autres hormones de l'organisme. L'hypothyroïdie est une maladie souvent non diagnostiquée, dont les symptômes comprennent la fatigue, le manque de désir sexuel, le gain de poids, des ongles cassants, la constipation, le manque de mémoire et de concentration, une peau sèche et rêche, la dépression, la perte de cheveux, une transpiration fréquente, des poches sous les yeux, un taux élevé de cholestérol (malgré une alimentation saine), des symptômes pénibles de ménopause, des douleurs musculaires, des règles irrégulières, l'infertilité, des extrémités froides (mains et pieds), de la difficulté à se lever le matin et un sentiment de confusion.

Si vous avez plus de huit des symptômes énumérés, ce test de base, aussi appelé « méthode des températures » peut vous aider à savoir si votre thyroïde fonctionne au ralenti.

- Ce dont avez besoin : un thermomètre médical que l'on trouve dans la plupart des pharmacies.
- Quand : si vous n'êtes pas en ménopause, faites le test au cours des premiers jours de vos règles. (Si vous l'êtes, n'importe quel jour convient.) Prenez votre température dès le réveil, avant de faire *quoi que ce soit d'autre* (comme aller aux toilettes ou vous brosser les dents).
- Comment : placez le bout du thermomètre sous l'aisselle nue, tandis que vous êtes allongée sur le côté et attendez de trois à quatre minutes. Faites le test plusieurs jours d'affilée et inscrivez le résultat chaque fois (vous pensez que vous vous en souviendrez, mais il vaut mieux l'inscrire).
    Jour 1
    Jour 2
    Jour 3
    Jour 4
- Interprétation des résultats : additionnez les quatre chiffres et divisez le résultat par quatre pour obtenir la moyenne. La normale est de 37 degrés Celsius. Si la moyenne est inférieure, cela peut signifier une faiblesse de la thyroïde et il vaut mieux en parler avec votre médecin ou avec un professionnel de la santé.

Quels suppléments puis-je prendre pour soulager les symptômes de ménopause ?

Les suppléments sont utiles, mais il est important de se rappeler qu'ils font partie d'une approche naturelle globale qui consiste à bien s'alimenter, faire de l'exercice et prendre des hormones bio-identiques. Vous trouverez ci-après certains des suppléments qui aident à traverser la ménopause, avec une description de leurs effets sur l'organisme. Prenez connaissance de ces renseignements, puis parlez avec votre médecin pour déterminer lesquels vous conviennent le mieux. Ne prenez jamais un nouveau produit sans en parler d'abord avec un spécialiste de la santé, car il est important de vous assurer qu'il n'y ait pas incompatibilité avec un médicament que vous prenez déjà, et que ce supplément convient bien à votre organisme. Notez bien qu'aucun de ces suppléments ne peut guérir vos symptômes, mais qu'ils offrent plutôt une solution à court terme. Pour vous débarrasser de vos symptômes ou les réduire à long terme, vous devez faire évaluer vos hormones et les faire équilibrer par un professionnel de la santé.

- L'huile de poisson a un effet anti-inflammatoire sur tout l'organisme. Elle peut aussi améliorer le fonctionnement du cerveau et soulager indirectement les bouffées de chaleur.
- L'huile de primevères est un acide gras oméga-6. Certains spécialistes croient qu'elle peut stimuler la production de progestérone chez les femmes qui en fabriquent moins. Ainsi, elle peut atténuer la sensibilité des seins, les sautes d'humeur, l'anxiété, l'irritabilité, les maux de tête et la rétention d'eau.
- Le magnésium et le calcium peuvent avoir un effet tonique sur le système nerveux et aider à soulager les sautes d'humeur, l'insomnie et l'anxiété.
- La L-théanine est un dérivé du thé qui peut exercer un effet calmant sans causer de somnolence. Des études effectuées sur des étudiantes en médecine ont révélé que celles qui prenaient

de la L-théanine réussissaient mieux leurs examens, se sentaient plus calmes et plus concentrées.

- Les produits suivants, à très petites doses, peuvent soulager les bouffées de chaleur. Assurez-vous cependant de les prendre sous la supervision d'un homéopathe, car une dose trop importante de l'un ou l'autre de ces remèdes, ou le fait d'en prendre plus d'un à la fois, peut avoir l'effet contraire. La sépia, le lachesis mutus et le glonoinum peuvent atténuer les bouffées de chaleur de même que l'anxiété et la tension associées à la ménopause. La belladone peut atténuer la transpiration.

Je n'ai jamais souffert d'insomnie avant la ménopause. Y a-t-il un lien entre les deux?

Absolument. L'insomnie est courante durant la périménopause et la ménopause parce que le manque d'œstrogènes stimule les glandes surrénales pour réagir au stress. Cela perturbe le rythme circadien (l'horloge interne qui régule les divers processus biologiques) et dérange l'équilibre délicat des hormones sécrétées par la glande pituitaire et l'épiphyse durant la nuit. Lorsque cet équilibre est perturbé, le sommeil devient difficile. Qui plus est, de nombreuses femmes éprouvent des symptômes tels que des bouffées de chaleur et des sueurs nocturnes en raison de ce manque d'œstrogènes, ce qui peut les réveiller la nuit et diminuer la qualité de leur sommeil.

Malheureusement, le manque chronique de sommeil est problématique, car c'est au cours des phases de sommeil profond (les phases trois et quatre) que le corps et l'esprit récupèrent. C'est notamment à ce moment que la glande pituitaire libère des hormones de croissance qui stimulent la réparation des tissus et des muscles et que les niveaux sanguins des substances qui activent le système immunitaire augmentent tandis que les niveaux de cortisol, l'hormone du stress, diminuent afin que les glandes surrénales, qui libèrent cette hormone, puissent se reposer. Même la peau se régénère en renouvelant alors ses cellules. Or, si vous n'arrivez pas à vous endormir ou que vous vous réveillez souvent, l'organisme n'atteint pas ces phases de sommeil profond. Comme les organes, les cellules, les tissus et les muscles n'ont pas la chance de se renouveler, ils s'épuisent et le processus de vieillissement peut s'accélérer. De plus, lorsque les surrénales sont épuisées et privées de repos, elles causent ou amplifient les symptômes ménopausiques. Les niveaux plus élevés de cortisol, l'hormone de stress qui circule alors dans votre corps, peuvent avoir un effet négatif sur votre métabolisme et entraîner un gain de poids, une augmentation du cholestérol et une mauvaise absorption des nutriments par votre organisme. Le manque de sommeil tend aussi à altérer vos capacités de résoudre les problèmes, votre vivacité et votre rendement.

Restaurer les hormones dans leur schéma cyclique d'avant la ménopause vous permettra de retrouver un rythme circadien normal, et donc le sommeil. Toutefois, il y a quelques autres moyens qui peuvent vous aider à améliorer la qualité de votre sommeil :

- Portez un pyjama léger, utilisez une couverture légère et installez un ventilateur ou un climatiseur pour vous soulager des bouffées de chaleur.
- Ne buvez pas d'alcool avant d'aller dormir. Il peut, au départ, faciliter le sommeil, mais risque de vous réveiller en pleine nuit et vous empêcher d'atteindre les phases de sommeil réparatrices. L'effet peut être le même si vous prenez certains médicaments somnifères.
- Évitez le sucre avant d'aller au lit et cessez de prendre du café en fin d'après-midi, car la caféine peut rester dans l'organisme pendant des heures.
- Comptez les sept à neuf heures de sommeil dont vous avez besoin avant votre réveil pour déterminer l'heure à laquelle vous devriez vous coucher. En allant au lit tous les soirs à la même heure, vous aidez votre organisme à s'ajuster pour commencer à produire de la mélatonine, une hormone qui favorise le sommeil.

- Le lit ne doit servir qu'à faire l'amour et à dormir. Tout le reste (travail, paiement des comptes, conversations téléphoniques ou discussions) doit avoir lieu ailleurs.

- Développez un rituel du coucher pour signaler à votre corps que c'est l'heure d'aller dormir. Ce peut être aussi simple qu'un bain ou une tasse de thé et une prière.

- Tamisez l'éclairage et évitez la lumière de la télé ou de l'ordinateur au moins une demi-heure avant d'aller dormir. La lumière affecte le rythme circadien naturel et vous réveille.

- Le stress et l'anxiété peuvent vous garder éveillée ou retarder le moment de vous endormir. Adoptez une activité relaxante avant de vous mettre sous la couette. Par exemple, écrire dans votre journal, prier ou faire quelques étirements de yoga.

- La chambre idéale est fraîche, sombre et silencieuse.

- Faites une sieste si vous êtes fatiguée durant la journée. Elle devrait être plutôt courte, car les études démontrent que 30 minutes représentent un temps optimal de repos ; trop longue, la sieste peut causer une certaine léthargie.

- L'exercice peut vous aider à dormir plus profondément ; assurez-vous cependant de le faire au moins trois heures avant d'aller dormir.

Quels sont les symptômes d'un déséquilibre hormonal ?

Voici des listes de symptômes spécifiques dont les spécialistes se servent pour chacune des principales hormones, conjointement avec le bilan sanguin, pour déterminer un déséquilibre hormonal. (L'analyse sanguine est importante, car l'organisme est très complexe et comporte l'interaction de plusieurs systèmes. Ne tenir compte que des symptômes pour établir un diagnostic pourrait porter à confusion.) Vos réponses vous orienteront vers un déséquilibre éventuel à examiner. Vous et votre médecin, ou un professionnel de la santé, aurez ainsi une meilleure idée des examens à poursuivre et des ordonnances à privilégier.

Symptômes relatifs à l'insuffisance d'œstrogènes

Notez les symptômes qui vous correspondent.

Difficulté à s'endormir

Troubles de mémoire

Confusion mentale

Légère anxiété

Humeur changeante

Bouffées de chaleur

Sueurs nocturnes

Fluctuations de température

Fatigue tout au long de la journée

Vigueur à la baisse

Peu de goût pour la sexualité et la sensualité

Faible image de soi et manque d'attention à l'apparence

Sécheresse oculaire, cutanée et vaginale

Teint terne

Sentiment de normalité durant la deuxième semaine du cycle
seulement

Seins flasques ou moins toniques

Douleur durant l'activité sexuelle

Gain de poids et indifférence croissante à cet égard

Augmentation des douleurs au dos et aux articulations

Épisodes de palpitations avec ou sans anxiété

Maux de tête et migraines

Inconfort gastro-intestinal

Moins de contrôle sur la vessie

Rétention d'eau

Sensibilité des seins

Sensation d'être tendue et irritée, tout en étant très lucide

Crampes pelviennes

Nausée

Symptômes d'insuffisance de progestérone

Notez les symptômes qui vous correspondent.

Règles espacées (aux 3 ou 4 mois, par exemple)

Règles abondantes et fréquentes

Pertes quelques jours avant le début des règles

SPM (syndrome prémenstruel)

Kystes aux seins

Seins douloureux

Tumeurs aux seins

Endométriose, fibromes et adénomyose

Anxiété, irritabilité et nervosité

Rétention d'eau

Symptômes d'insuffisance de testostérone

Notez les symptômes qui vous correspondent.

Flaccidité et faiblesse musculaire

Manque d'énergie et de résistance

Perte de coordination et d'équilibre

Perte du sentiment de sécurité

Indécision

Diminution du désir sexuel

Faible image de soi

Diminution de la pilosité aux aisselles, au pubis et sur la tête

Symptômes d'insuffisance de DHEA

Notez les symptômes qui vous correspondent.

Stress

Manque de résistance

Intolérance au bruit

Fatigue constante

Mauvaise humeur

Faible immunité

Perte de mémoire

Perte de poils pubiens

Faible soutien musculaire du ventre

Peau sèche et yeux secs

Faible désir sexuel

Symptômes du syndrome de Stein-Leventhal

Notez les symptômes qui vous correspondent.

Perte de cheveux

Augmentation de la pilosité sur le visage, les bras et les jambes

Œdème

Augmentation de l'acné et des rougeurs au visage

Baisse de la fertilité et augmentation des fausses couches

Augmentation de la musculature et gain de poids

Insulinorésistance

Quelles sont les hormones bio-identiques le plus couramment utilisées ?

La liste des hormones bio-identiques le plus couramment utilisées figure ci-dessous. Toutefois, il est important de noter qu'il existe des versions de progestérone, de DHEA et de prégnénalone vendues sans ordonnance, mais qu'elles sont jugées illégales par la Food and Drug Administration (FDA). Comme nous l'avons vu précédemment, il vaut mieux consulter un médecin, qui prescrira les hormones ci-dessous de façon équilibrée, et sous sa surveillance :

- L'estradiol, le plus puissant œstrogène humain, est utile pour atténuer les bouffées de chaleur, réduire la « confusion mentale », stimuler le tissu de l'endomètre et réduire la perte osseuse.
- L'estriol est censé protéger contre le cancer du sein, favoriser la lubrification vaginale et atténuer la confusion mentale.
- L'estrone, qui pourrait cependant accroître le risque de cancer du sein en raison de ses métabolites.

- La progestérone, qui contribue à fortifier les os et à équilibrer le taux d'œstrogènes, pourrait protéger contre tous les types de cancer, y compris le cancer du sein et de l'utérus, de même que contre les maladies cardiaques, sans compter son effet calmant.

- La testostérone, qui modère tout en régularisant les récepteurs d'œstrogènes dans le tissu mammaire, pourrait réduire le risque de cancer du sein, selon les spécialistes. Elle est par ailleurs utile pour augmenter la libido, stimuler le métabolisme et la fonction cérébrale.

- La DHEA et la prégnénalone sont des hormones que l'organisme transforme en œstrogène, en progestérone et en testostérone. Un taux approprié normalise le métabolisme, favorise l'équilibre hormonal, renforce le système immunitaire et les glandes surrénales, et améliore la fonction cérébrale et le soutien surrénal.

J'ai entendu dire qu'il vaut mieux éviter de consommer beaucoup de soja durant la ménopause. Est-ce vrai ?

Il n'y a pas de preuves évidentes de ce que le soja serait plutôt bénéfique ou nocif durant la ménopause. Certaines études indiquent un effet semblable à celui de l'œstrogène, laissant supposer que le soja peut contribuer à atténuer les bouffées de chaleur. D'autres études, allant dans le sens de l'opinion de certains spécialistes, démontrent qu'une grande consommation de soja pourrait augmenter le risque de cancer du sein. En fait, les preuves sont insuffisantes pour confirmer ou infirmer avec certitude l'une ou l'autre de ces hypothèses . (En revanche, chez les hommes, il existe des indications selon lesquelles une trop grande consommation de protéines de soja est susceptible de perturber l'équilibre entre œstrogène et testostérone.)

En général, certains spécialistes du Hall Center conseillent aux hommes comme aux femmes d'éviter les produits de soja transformés, comme le tofu, le tempeh et les boissons de soja, car on croit que le traitement du soja crée une protéine artificielle inférieure.

Toutefois, le soja non traité, comme l'edamame (pousses de soja fraî-ches), convient très bien. (Les protéines de soja sont toutefois connues comme faisant partie des aliments les plus courants pour lesquels les gens développent une intolérance, au même titre que les produits laitiers, le blé et les œufs. Par conséquent, si c'est votre cas, il vaut sans doute mieux l'éviter.)

Je suis inquiète au sujet du risque de cancer du sein depuis que je suis en ménopause. Comment puis-je réduire ce risque ?

Il y a quelques mesures importantes à prendre avant, pendant et après la ménopause :

- Veillez à maintenir un bon équilibre des hormones bio-identiques.
- Faites de l'exercice régulièrement.
- Consommez au moins trois portions de légumes crucifères par semaine (brocoli, choux de Bruxelles, chou et chou-fleur).
- Prenez des suppléments Indole-3 carbamide ou 3,3 diindole-methane (DIM).
- Intégrez à votre alimentation des antioxydants comme le Co-enzyme Q-10, le sélénium, l'acide folique, la vitamine E, la vitamine C et les polyphénols de thé vert.
- Réduisez votre exposition à ce qu'on appelle les xéno-œstrogènes, comme le chlore, les pesticides, les PBC et les produits plastiques. Ceci est possible en lavant soigneusement les fruits et légumes, en se procurant des produits maraîchers biologiques, du poulet et du bœuf bio ainsi que du poisson pêché à l'état sauvage, en eaux froides de préférence. Il vaut mieux boire une eau embouteillée ne contenant pas de chlore et éviter les liquides chauds servis dans des contenants en plastique ou en polystyrène.

Quels sont les points les plus importants à respecter pour prévenir les maladies cardiaques avant, pendant et après la ménopause ?

- Surveillez votre cholestérol et votre tension artérielle, car ils constituent deux facteurs de risques cardiaques qui ne présentent pas de symptômes. Vous devez faire mesurer non seulement le taux de cholestérol total, mais également votre taux de LDL (lipoprotéines de faible densité : le « mauvais cholestérol »), de HDL (lipoprotéines de haute densité : le « bon cholestérol »), ainsi que les triglycérides (un autre type de gras dans le sang associé au HDL, à l'obésité, au diabète et à l'hypertension). Votre taux de cholestérol total devrait se situer sous 200 mg/dl, avec un LDL inférieur à 100 mg/dl et un HDL atteignant au moins 50 mg/dl. Votre tension artérielle devrait être de 120/80 mmHg.

- Cessez de fumer, car la nicotine perturbe le travail des vaisseaux sanguins, diminue l'apport d'oxygène dans l'organisme et accélère la formation de dépôts dans les artères. Si vous fumez, le risque de maladie cardiaque est de deux à quatre fois plus grand que pour un non-fumeur, et si vous faites un infarctus, vous risquez davantage d'en mourir, et de façon subite (en deçà d'une heure), qu'une femme qui ne fume pas. Le risque d'un caillot sanguin s'accroît lorsque vous prenez la pilule contraceptive et que vous fumez.

- Essayez de contrôler votre poids, surtout si vous avez un bourrelet à la taille. Ces graisses superflues peuvent perturber votre métabolisme, augmenter le risque de diabète et avoir un effet négatif sur votre taux de cholestérol.

- Faites de l'exercice régulièrement. Des chercheurs de la faculté de médecine de Harvard ont fait une enquête auprès de plus de 27 000 femmes et découvert que faire de l'exercice durant 1 heure ou 2 par semaine réduisait de 27 % leur risque de maladie cardiaque, de 2 à 5 heures le réduisait de 32 % et plus de 5 heures, de 41 %[2].

- Tenez compte de vos antécédents familiaux. L'hérédité représente un gros facteur de risque pour les maladies cardiaques, mais il ne suffit pas de connaître la santé dont jouissent (ou jouissaient) vos parents. Certaines recherches suggèrent qu'un frère ou une sœur qui souffre de cardiopathie est un indice peut-être encore plus significatif du risque que vous encourez[3].

- Évitez les gras trans et saturés, qui peuvent bloquer vos artères, diminuer le bon cholestérol et augmenter le mauvais.

- Sachez que les signes avant-coureurs d'une crise cardiaque ne sont pas les mêmes chez la femme que chez l'homme. Dans 50 % des cas seulement, les femmes ont des douleurs thoraciques ; il faut donc surveiller d'autres symptômes comme une douleur au bras, aux mâchoires, au cou ou dans le dos, une forte nausée, des étourdissements ou des vomissements, une transpiration et un souffle court.

- Si vous pensez ressentir les symptômes d'une crise cardiaque, demandez de l'aide immédiatement. Les symptômes sont souvent subtils et peuvent être confondus avec ceux d'autres maladies, d'où l'hésitation à se rendre à l'urgence ou chez le médecin. Mais mieux vaut prévenir que guérir, et la rapidité avec laquelle vous arrivez à l'hôpital après une attaque cardiaque a une grande influence sur votre rétablissement et votre survie. Cependant, si la première heure après un incident cardiaque est cruciale pour obtenir des traitements destinés à débloquer les artères et rétablir la circulation sanguine, des études indiquent que les deux tiers des femmes qui font un infarctus meurent avant même d'arriver à l'hôpital.

6

Le bien-être et la coiffure

«Coupez-les court», ai-je dit à Debbie, ma coiffeuse, à Dallas.

«Comment, dites-vous?» a-t-elle demandé. Elle semblait très étonnée, et avec raison. Environ toutes les six semaines depuis cinq ans, elle me faisait toujours la même adorable coupe, quelques centimètres en bas des épaules, et j'adorais cela. Que je lui demande maintenant de couper court la surprenait beaucoup.

«Je viens d'avoir 40 ans. Je pense que le moment est venu», lui expliquai-je.

La première fois que j'ai eu les cheveux courts, j'avais 5 ans et je les ai portés ainsi jusqu'à environ 12 ans. À l'époque, mes parents n'avaient pas beaucoup d'argent et on m'a fait une charmante petite coupe dans le salon le moins cher de la ville. Quand on m'a enfin permis de laisser allonger mes cheveux, comme mes trois sœurs aînées, j'étais ravie; à partir de ce moment, je les ai toujours portés longs, entre les épaules et le milieu du dos. Mais après avoir célébré mon 40ᵉ anniversaire, j'ai pensé qu'il était temps de respecter cette règle tacite qui veut qu'après un certain âge, une femme ne puisse plus avoir les cheveux longs. «Je suis une adulte à présent, ai-je pensé, alors je suppose que je dois en avoir l'air». Sur mes encouragements, Debbie a commencé à couper mes longues mèches brunes et épaisses jusqu'à ce que le sol en soit recouvert. À la fin, je me suis retrouvée avec une coupe au carré à environ deux centimètres au-dessus de la mâchoire. Je ne pouvais même plus repousser mes cheveux derrière les oreilles. La coupe avait du style et de l'allure, mais je n'étais pas sûre qu'elle m'aille très bien.

Quelques heures plus tard, j'allais rejoindre Phillip à un match de Jay. Il ne savait pas que j'avais prévu faire couper mes cheveux et a écarquillé les yeux quand il m'a aperçue dans l'escalier pour le rejoindre. «Nouvelle coiffure», a-t-il dit.

«Oui, ai-je répondu. Une femme ne devrait plus porter ses cheveux longs à mon âge.»

Phillip a hoché la tête comme si ce que je disais avait un sens évident. «Je préfère les cheveux longs, mais ce qui compte, c'est que ça *te* plaise *à toi*.» (Voilà le tact d'un mari qui a été élevé avec trois sœurs !) «De toute façon, a-t-il ajouté, tu es très jolie.» J'ai souri, car il me fait souvent ce genre de compliment pour me rappeler qu'il lui importe peu que j'aie les cheveux courts, longs ou que je sois chauve, puisque ce qui compte pour lui, c'est que je reste la même à l'intérieur.

Puis, la partie a commencé et Jay est arrivé sur le terrain. Comme toujours, je l'ai vu chercher dans les gradins pour nous repérer. Cette fois, il est resté bouche bée quand il nous a aperçus. Il a crié «Maman !» en pointant ses cheveux et en remuant la tête comme pour dire : «Mais qu'est-ce que tu as fait ?» Même mon ado de 14 ans était en mesure de se rendre compte que les cheveux courts et Robin McGraw n'allaient pas de pair ! Il n'était pas le seul. Personne ne m'a dit ouvertement ne pas aimer ma coiffure. On me disait simplement : «Tiens, tu as fait couper tes cheveux» (comme si je ne le savais pas !) ou «Wow, les cheveux courts !»

Heureusement, mes cheveux poussent très rapidement (je dois raccourcir ma frange chaque semaine et retoucher ma coloration toutes les trois semaines, sinon, mes racines sont très apparentes). Je n'ai donc jamais paniqué après une coupe ou une coloration ratée (j'en parlerai davantage dans les pages qui suivent). N'empêche que je détestais tellement cette nouvelle coiffure courte, que je trouvais que mes cheveux n'allongeaient pas assez vite. J'ai donc tenté quelque chose qui, je vous le jure, fonctionne! Je suis allée au magasin d'aliments naturels acheter des suppléments pour cheveux et les ai ajoutés à mes autres vitamines. Quoique certains spécialistes soient sceptiques à l'égard de l'effet de ces vitamines sur la croissance capillaire, je crois personnellement qu'il est utile de donner à la chevelure la nutrition nécessaire (et lorsqu'on déteste sa coupe, même un effet placebo est le bienvenu!). Les vitamines et les minéraux importants pour les cheveux comprennent la niacine, l'acide folique, la biotine, le calcium, le zinc et les coenzymes. (Assurez-vous de vous renseigner auprès de votre médecin, comme je l'ai fait, avant d'en prendre.)

Après chaque mauvaise expérience dans ma vie, importante ou pas, je me demande toujours quelle est la leçon à en tirer. Cette coupe au carré peu flatteuse m'a enseigné deux choses. La première et la plus évidente : je n'aurai plus jamais les cheveux courts. La seconde et la plus importante : l'âge ne doit pas dicter le choix de votre coiffure. Vous devez soigner votre apparence de la façon qui vous convient plutôt qu'en vous pliant à des règles tacites ou des idées préconçues.

Aujourd'hui, à 55 ans, j'ai les cheveux plus longs que jamais et je les garderai ainsi à 60, 70 et 80 ans. Il m'a fallu longtemps pour trouver la coiffure qui me sied le mieux, mais je sais que les cheveux courts ne conviennent pas à mon visage ni à la structure de ma mâchoire, et j'ai bien l'intention de garder mes cheveux longs pour bercer mes futurs petits-enfants et, si Dieu le veut, pour danser à leur mariage. Cela ne signifie pas que je n'envie pas les cheveux courts. J'ai vu des femmes porter de magnifiques coupes extrêmement courtes et j'aimerais pouvoir en faire autant. Ma mère aussi avait une adorable coiffure courte qui lui allait très bien, mais qui serait abominable sur moi. L'essentiel à retenir est que la coiffure n'a rien à voir avec l'âge ou avec la mode, mais plutôt avec vos préférences et votre bien-être.

Malheureusement, cette coupe n'était pas ma première erreur. J'avais eu deux autres expériences désastreuses en termes de coloration, dont la pire se produisit quand je commençais à fréquenter Phillip, alors que j'étais au début de la vingtaine. Un jour, sa mère et moi bavardions dans la cuisine. « Tes cheveux sont si beaux et si épais, me dit-elle en enroulant une mèche autour de son doigt. Ce serait magnifique si tu étais blonde. »

« Vraiment ? Je n'y avais jamais pensé. » J'avais déjà essayé différentes coupes et différentes couleurs, mais jamais le blond.

« Mais oui ! Surtout avec tes yeux, dit-elle. Si tu veux, on peut appeler ma coiffeuse. » Enthousiaste à l'idée d'un changement, j'ai pris rendez-vous pour le lendemain, un mardi, mon jour de congé. À 8 h, la coloriste a lavé mes cheveux et les a traités avec une lotion capillaire, puis elle a appliqué le décolorant qu'elle a recouvert d'un bonnet. Toutes les heures, elle venait vérifier si mes mèches brunes avaient pâli. Au début, il ne me semblait pas étrange qu'il faille tant de temps pour que la couleur prenne. Après tout, les cheveux m'allaient jusqu'au milieu du dos et je savais que ce serait long. Mais au fil des heures, j'ai commencé à sentir la préoccupation de la coloriste. Mes cheveux étaient si épais qu'ils n'absorbaient pas le décolorant. À 18 h, mon cuir chevelu n'était qu'une plaie douloureuse et tout ce que je voulais, c'était rentrer chez moi. « Je ne peux rien faire de plus à vos cheveux, sinon ils vont tomber », a déclaré la coiffeuse. Je me suis imaginée chauve, comme Phillip (oui, il était déjà chauve à 20 ans !). « Il vous faut revenir demain afin que je puisse appliquer le nuanceur. »

« Je travaille demain, répondis-je. Je ne peux pas revenir avant la semaine prochaine. » Sans le nuanceur, mes cheveux étaient d'un blond éclatant et décoloré (à la Pamela Anderson). De plus, j'avais une tête énorme ! Quand vous colorez vos cheveux, le pigment ou le décolorant pénètre le cuticule, ce qui fait gonfler la tige et la chevelure a l'air plus épaisse (ce qui en fait une excellente solution pour les femmes aux cheveux fins). Mais comme j'ai déjà des cheveux très épais, l'effet était formidable. (Heureusement pour moi, c'était alors la mode au Texas.) À l'époque, j'habitais encore chez mes parents et mon père est resté sidéré quand je suis arrivée. « Mais qu'as-tu fait ? » J'aimerais pouvoir dire qu'il a été le seul à réagir ainsi, mais ce ne fut pas le cas. Toutes les personnes de mon entourage, qu'il s'agisse de Phillip, de mes collègues de travail, ou de la caissière de l'épicerie, me posèrent la même question. Je me suis dit que tout irait mieux la semaine suivante, une fois le nuanceur appliqué. Lorsque vint le moment de mon rendez-vous, j'avais hâte d'atténuer cette couleur superficielle, mais je commençais aussi à m'affoler en constatant la présence de ce qui ressemblait à de petites fourmis noires sur mon cuir chevelu.

« Qu'est-ce que c'est ? » ai-je demandé à la coloriste.

« Ce sont les racines ! répondit-elle. Il faudra faire des retouches plus souvent que je ne l'aurais cru parce que vos cheveux poussent très vite. » Elle a appliqué le nuanceur et, même si la couleur était très belle en soi, ça ne me ressemblait pas du tout !

Je me suis alors rendu compte que je n'avais ni le temps ni l'argent pour faire des retouches chaque mois (l'entretien est un point important à considérer avant de faire un gros changement à sa coiffure) et, quelques jours plus tard, je retournais au salon pour demander à retrouver ma couleur d'antan, ou se qui s'en rapprochait le plus possible. Même si je suis redevenue brune en un après-midi, mes cheveux n'étaient plus les mêmes, et il a fallu plus d'un an de teintures et de coupes à répétition pour que le blond disparaisse. À l'époque, j'étais très contrariée d'avoir fait subir un tel traumatisme à ma chevelure et à ma tête, mais ce n'était rien comparativement à la culpabilité que ressentait la mère de Phillip de m'avoir encouragée à faire ce changement. Je ne l'ai jamais blâmée (c'est bien moi qui ai pris le rendez-vous et qui me suis assise sur la chaise), mais au moins, nous en rions encore aujourd'hui.

J'aurais dû avoir ma leçon concernant les décisions impulsives, mais non. Quelques années après ma célèbre coupe des 40 ans, j'ai commis une autre erreur de coloration. À la fin de la vingtaine, j'avais découvert les mèches et j'aimais beaucoup leur effet gonflant. Ce que je préfère, ce sont les mèches blondes simplement parsemées sur le dessus de la tête et dans la frange. Au fil des années, j'ai eu des mèches magnifiques, et j'apprécie particulièrement Lucie Doughty, ma coloriste actuelle. Mais j'en ai aussi eu de moins belles, ce qui m'amène à ma plus récente et, je l'espère, dernière expérience désastreuse.

C'était un dimanche après-midi et j'avais soudainement décidé que je voulais quelques mèches de plus devant. Ma coloriste habituelle étant à l'extérieur de la ville, j'ai appelé un salon réputé dans mon quartier de Dallas et j'ai été ravie que l'on puisse m'accueillir l'après-midi même. Malheureusement, mon enthousiasme s'est envolé lorsque la coloriste a retiré les feuillets d'aluminium, révélant d'horribles rayures blanches sur ma chevelure brune. « Qu'ai-je fait ? Et pourquoi n'ai-je pas attendu le retour de ma coloriste habituelle ? » Le lendemain, un groupe de femmes se réunissait chez moi pour m'aider dans un projet pour la classe de Jordan.

« Regardez-moi cela, dis-je en montrant mes mèches blanches. Je vais devoir apprendre à cesser de faire des choses sur un coup de tête. »

« Mon mari, Joe, a un salon de coiffure et il est en congé le lundi, a annoncé l'une des femmes. Si vous voulez, je peux l'appeler et lui demander de vous réparer cela. »

« Si ça ne l'ennuie pas, j'en serais ravie ! » me suis-je exclamée. Même si je connaissais à peine cette femme et que je n'avais jamais rencontré son mari, cela me semblait la solution idéale. Une fois dans son salon, je lui ai expliqué que je voulais simplement couvrir le blanc des mèches d'une couleur se rapprochant de ma teinte naturelle. Je l'ai cru quand il m'a dit qu'il avait compris, mais je suppose que j'aurais dû être à la fois plus précise et moins confiante, car je suis sortie de son salon les cheveux noir foncé. Je dis bien noir foncé, ce qui tranchait d'autant plus sur mon teint pâle ! Lorsque Jay et Jordan sont rentrés de l'école, ils se sont littéralement écroulés de rire. J'ai ri avec eux en disant : « Appelez-moi Elvira ! » Optimiste comme toujours, je croyais qu'il me suffirait de laver mes cheveux pour éliminer la couleur. Quelle erreur! Cinq shampoings plus tard, je ressemblais toujours autant à Elvira. (Et je me suis rendu compte que même les anciennes grosses mèches blanches valaient mieux que cela!) J'ai appelé Joe pour lui demander ce qu'il avait mis dans mes cheveux, et suis presque tombée à la renverse quand il m'a dit que c'était une coloration permanente, ne disparaissant donc pas à la suite de shampoings. Il fallait donc attendre que mes cheveux repoussent! (Contrairement à ce qui se passe pour les couleurs semi-permanentes, qui s'effacent au bout de 8 à 24 shampoings.)

Totalement désespérée, j'ai camouflé mes cheveux sous une casquette pour me rendre au magasin acheter du savon à vaisselle Palmolive et du shampoing Prell, une combinaison dont j'avais entendu dire qu'elle était susceptible de décaper les cheveux. J'ai donc procédé au mélange que j'ai appliqué sous la douche. Mais, au bout de six shampoings supplémentaires, pas une mèche n'avait changé de couleur. Jay et Jordan continuaient de trouver cela très drôle, mais moi je ne riais plus. Il n'y avait rien d'amusant à avoir été impatiente de faire un changement au point de ne pas attendre le retour de ma coiffeuse habituelle (expérimenter est une chose, mais se montrer imprudente et mal informée en est une autre que je ne le recommande pas). Après la douche, j'ai enfilé un vieux peignoir, séché mes cheveux et entrepris de préparer le dîner. «Au moins, je n'aurai pas à sortir pour le reste de la journée, ai-je pensé, et personne ne me verra». Je me trompais royalement!

Voici donc la fin ridicule de cette ridicule anecdote. À l'époque, nous habitions sur un parcours de golf et étions bons amis avec le golfeur professionnel Paul Earnest. En regardant par une fenêtre arrière, j'ai alors remarqué que non seulement Paul jouait un trou directement derrière notre maison, mais que lui et un partenaire de golf avaient quitté le parcours, faisant le tour de la maison pour venir sonner à ma porte! Je n'avais pas d'autre choix que d'aller ouvrir. «Il ne remarquera peut-être même pas mes cheveux, me suis-je dit. Ce n'est pas si grave». Eh bien, oui, c'était grave, car l'homme qui accompagnait Paul n'était nul autre que Michael Bolton! Pour empirer les choses, il venait de faire couper ses longs cheveux et il arborait une magnifique coupe à ras. (Je suis sûre que vous vous souvenez de la coupe dont je parle.)

« Robin, j'espère qu'on ne te dérange pas, dit Paul. Michael admirait votre demeure de l'extérieur et j'ai pensé que si tu étais à la maison, il pourrait jeter un coup d'œil à l'intérieur. »

« Bien sûr », fis-je, ébahie de me trouver en face du célèbre Michael Bolton qui, d'ailleurs, était très séduisant. Il portait une chemise de golf noire et un pantalon noir qui faisaient ressortir son bronzage doré et ses yeux magnifiques. Le contraste était saisissant avec moi, dans mon vieux peignoir, sans maquillage et les cheveux noir foncé. « Entrez. »

« Merci beaucoup, dit Michael en franchissant le seuil. Et la prochaine fois que votre mari ira voir Oprah, pourriez-vous lui demander de la saluer pour moi ? »

« Phillip part pour Chicago ce soir et il la verra donc demain. »

« Ah oui ? Alors, puis-je lui écrire un petit mot qu'il lui transmettra ? »

« Bien sûr, mais avant d'aller plus loin, j'aimerais vous dire quelque chose. Mes cheveux ne sont pas de cette couleur, normalement. C'est une erreur d'un coiffeur. » Je sais que ça peut sembler vaniteux et d'ailleurs, *ça l'était*. Mais quand vous avez Michael Bolton dans votre cuisine, plus beau que jamais (à mon humble opinion), et que vous êtes plus laide que jamais, je pense qu'une petite explication s'impose. Il a été gentil et m'a dit en riant : « Croyez-moi, j'ai déjà eu des ennuis de ce genre et je sais ce que vous ressentez », mais il ne pouvait certainement pas comprendre mon embarras. Plus d'un an après, nous l'avons revu à la première du film d'Oprah, *Beloved*, à New York, alors que j'avais retrouvé une coiffure normale.

Phillip et lui étaient en train de bavarder quand il m'a tendu la main en disant : « Heureux de vous rencontrer ».

« Nous nous sommes déjà rencontrés », ai-je répondu. Il a eu l'air tellement perplexe que j'ai poursuivi : « Chez moi, à Dallas, alors que vous jouiez au golf avec Paul. »

« C'était *vous* ? » s'est étonné Michael, manifestement très surpris. Il est habituellement insultant que quelqu'un que vous avez déjà rencontré ne vous reconnaisse pas, mais cette fois, c'était le plus beau compliment qui soit. Alors, bien entendu, la morale de l'histoire, c'est de respirer profondément et rester loin du salon de coiffure ou d'un flacon de teinture, lorsque vous souhaitez changer de look simplement parce que vous êtes lasse ou impatiente.

Après ce troisième désastre, je suis devenue plus prudente et je ne laisse plus n'importe qui couper ou colorer mes cheveux. La communication est aussi très importante. Comme c'est le cas pour bien des choses dans la vie, la clé pour trouver un coiffeur et la coiffure que vous aimerez vraiment consiste à faire un peu de recherche. Quand nous avons déménagé de Dallas en Californie, il m'a fallu cinq ans pour trouver la coiffeuse et la coloriste qui me conviennent aujourd'hui. C'est en posant la question à des femmes dont j'aimais la coiffure : « Qui vous coiffe ? » Au bout d'un certain temps, les mêmes noms revenant souvent, j'ai su que j'étais sur le point de rencontrer les professionnels que je cherchais.

Vous pouvez aussi vous présenter dans différents salons et regarder les coiffeurs travailler. Si vous restez assez longtemps, vous verrez certains cas de coupes « avant » et « après » et vous prendrez le pouls du salon en même temps. Il peut vous arriver de trouver le bon salon, mais de tomber sur un mauvais coiffeur. Le cas échéant, n'hésitez pas à en changer, car le coût est suffisamment élevé pour qu'il soit légitime de vouloir obtenir les résultats que l'on souhaite. J'ai déjà demandé à de nombreux coiffeurs s'ils étaient blessés ou fâchés quand une cliente décidait d'opter pour un autre coiffeur dans le même salon. Eh bien, ma petite enquête absolument pas scientifique a révélé que 80 à 90 % préfèrent qu'une cliente soit contente avec un autre coiffeur plutôt que fidèle parce qu'elle est trop mal à l'aise pour en changer. Alors, si vous voyez que les cheveux de votre voisine sont plus beaux que les vôtres, parlez à son coiffeur et dites-lui : « J'ai observé votre magnifique travail. Est-ce que la même coupe ou couleur m'irait aussi ? » La communication est la clé et des aides visuelles peuvent être utiles (j'apporte souvent des photos). Par ailleurs, une fois que vous savez ce que vous aimez, n'hésitez pas à le dire. Par exemple, j'ai appris ce que je préfère et je n'ai aucun problème à dire à ma coiffeuse que je veux une coupe dégradée (mes cheveux sont trop épais et trop lourds pour être d'une longueur uniforme), que ma frange soit longue (afin qu'elle recouvre mes sourcils que je trouve trop écartés) et mes mèches blondes (le cuivré et le doré s'associent mal à la nuance rousse de mes cheveux).

Les soins quotidiens que vous lui accordez, de même que les produits que vous utilisez, sont d'une extrême importance pour la santé de votre chevelure. Ma façon de faire varie selon qu'il y a enregistrement ou pas. Lorsque c'est le cas, je lave mes cheveux avec le shampoing KeraStase Bain Satin 1 Complete Nutrition, puis j'applique le conditionneur KeraStase Lait Vital Incredibly Light Nourishing Care, qui adoucissent et assouplissent les cheveux grâce à divers ingrédients tels que des protéines et des lipides. (Durant des années, je n'utilisais pas de conditionneur, car je croyais que c'était trop lourd et que mes huiles naturelles suffisaient à les hydrater, mais j'ai appris qu'un bon conditionneur garde la chevelure douce, soyeuse et facile à coiffer.) Après un rinçage à l'eau aussi froide que possible, ce qui aide à fermer les cuticules et à donner une apparence saine et éclatante à la chevelure, je sors de la douche, essore mes cheveux, puis je les brosse doucement (les cheveux mouillés étant plus fragiles, il faut les traiter avec délicatesse). J'applique ensuite la KeraStase Nutri-Sculpt Bodifying Treatment Mousse, puis je consacre environ 15 minutes à les sécher à basse température, en utilisant une brosse ronde pour les longueurs, et d'une brosse plate pour la frange. Les deux brosses sont faites d'un mélange de poils en plastique, qui aident à séparer les cheveux, et de soies de sanglier, qui aident à répartir les huiles du cuir chevelu pour donner un aspect plus éclatant et plus lisse à la chevelure. Lorsque les cheveux sont complètement secs, j'applique une petite goutte de Fekkai Glossing Cream, un produit coiffant qui renferme de l'huile d'olive et de l'huile de pépins de raisin.

Le conseil de Robin. Vous avez peut-être entendu dire que la mayonnaise pouvait être un bon conditionneur, mais je pense le contraire. Un soir, alors que Phillip était en voyage, j'en ai mis dans mes cheveux et recouvert le tout d'un bonnet de douche avant d'aller au lit (j'ai fait l'expérience pendant qu'il était absent afin qu'il ne soit pas incommodé par l'odeur ou la texture). Le lendemain, c'était extrêmement difficile à rincer et, même après plusieurs shampoings, mes cheveux ont conservé une apparence graisseuse durant des jours. Une façon plus facile et sans tracas de donner de l'éclat consiste à appliquer un conditionneur sur les cheveux secs, puis de les relever en queue de cheval pour la durée de l'entraînement. La chaleur générée par le corps ouvre les cuticules et permet au produit de bien pénétrer le cheveu. Il suffit ensuite de rincer au cours de la douche qui suit l'entraînement.

Voici mon truc préféré pour obtenir de l'éclat sans l'aspect gras qu'une trop grande quantité de produit coiffant entraîne : d'abord, je m'enduis les mains de la Fekkai Glossing Cream, comme si c'était de la crème à mains (et cela hydrate ma peau, car elle contient de l'huile d'olive), puis, une fois qu'elle a bien pénétré, je me passe les doigts dans les cheveux. Ensuite, je mets des rouleaux Velcro, ce qui donne du volume à partir de la racine, un peu de corps et un aspect lisse. Je me maquille, j'enfile un survêtement et des baskets et je parcours les 25 minutes de chez moi au studio. Oui, vous avez bien lu, je conduis avec les rouleaux sur la tête. Cela peut paraître étrange (quoique jusqu'à présent, la police ne m'a jamais arrêtée pour indécence et je n'ai pas figuré non plus dans les tabloïds, affublée ainsi), mais si j'enlève mes rouleaux avant de partir, l'humidité et l'air m'aplatissent complètement les cheveux. C'est donc au studio que je les retire et, à l'occasion, je termine le coiffage au moyen d'un fer plat pour mater les boucles autour de mes oreilles.

Ensuite, je vois Mimi, la dame chargée des cheveux de Phillip et des miens, qui s'assure rapidement que rien ne dépasse. C'est important, car la caméra, surtout en HD, amplifie tout et, si une mèche retrousse, c'est comme si on mettait un projecteur dessus. C'est d'ailleurs la raison pour laquelle les invités n'ont pas la même allure quand l'enregistrement a lieu chez eux et lorsqu'ils sont sur le plateau de l'émission *Dr. Phil.* Sur le plateau, leurs cheveux doivent être lissés le plus possible afin que la caméra ne capte pas de mèches qui retroussent, tandis qu'à la maison, sans les reflets de l'éclairage de plateau, cette précaution est inutile et leur coiffure paraît très bien. Je suis en fait convaincue que, tout comme la caméra semble augmenter le poids de six kilos, elle semble aussi grossir la chevelure. Parfois, je regarde l'émission et je vois que mes cheveux donnent l'impression d'avoir été gonflés (ce que je n'ai jamais eu besoin de faire, étant donné l'épaisseur naturelle de ma chevelure).

Comme nous enregistrons trois émissions en une journée, Mimi a récemment eu l'idée d'utiliser un fer à friser après la première. En effet, mes rouleaux font des boucles qui tiennent pendant une émission, mais dès la deuxième, mes cheveux sont raides. Ils sont si lourds et épais que les boucles se défont rapidement. Alors, Mimi les retouche avec le fer et j'aime bien l'effet que ça donne. Je n'avais jamais réalisé l'efficacité d'un fer à friser parce que, malgré une bonne coordination des yeux et des mains, je ne suis jamais arrivée à m'en servir convenablement. Je ne sais pas si c'est parce que je suis gauchère, mais au terme de mes efforts, mes cheveux ont l'air empesés ou alors, ils restent coincés dans le fer.

Les jours où nous n'enregistrons pas ressemblent à ceux où j'étais une maman très occupée ne consacrant que peu de temps à ses cheveux. À l'époque, je portais souvent une casquette, surtout pour les protéger du chaud soleil du Texas. Mais aujourd'hui, au réveil, je me fais un chignon avec une simple pince ou une queue de cheval en prenant toujours soin de ne pas serrer trop fort afin de ne pas abîmer mes cheveux. (Un joli bandeau ou un foulard bien noué peut faire l'affaire aussi.) Je me lave les cheveux tous les deux ou trois jours parce que je ne veux pas faire disparaître mes mèches trop vite et que je sais que des shampoings trop fréquents enlèvent les huiles protectrices naturelles et augmentent le risque de casser les cheveux. Si vous avez les cheveux frisés, ma coloriste Lucie suggère des shampoings encore moins fréquents, soit une ou deux fois par semaine pour les cheveux fins et toutes les deux semaines quand ils sont épais. À l'occasion d'une douche, rincez-les simplement à l'eau et utilisez un condition-neur en partant du milieu de la chevelure jusqu'aux pointes. «Comme les cheveux frisés ont tendance à être plus secs et cassants, les rincer n'enlèvera pas les huiles naturelles, contrairement à ce qui se passe avec le shampoing», explique Lucie. En ce qui me concerne, mes che-veux ne deviennent pas gras et supportent bien quelques jours sans lavage. Si ma chevelure n'est pas super, mais que je n'ai pas envie d'un shampoing complet, je lave simplement ma frange, que je sèche ensuite au séchoir. Cela donne l'impression que mes cheveux sont propres et bien coiffés.

À la manière de Robin

Les produits de soins capillaires de Robin :

- Shampoing KeraStase Bain Satin Complete Nutrition
- Conditionneur KeraStase Lait Vital Incredibly Light Nourishing Care
- Mousse Nutri-Sculpt KeraStase
- Brosse ronde thermale en céramique + ION d'Olivia Garden
- Brosse classique Frederic Fekkai
- Sèche-cheveux de type FHI
- Glossing Cream Frederic Fekkai

Pour ce qui est de la coloration, j'ai expérimenté différentes nuances à partir de mes 20 ans, mais j'ai vraiment commencé à teindre toute ma chevelure de façon plus régulière quand mes premiers cheveux gris sont apparus, au début de la quarantaine. (J'ai été étonnée d'apprendre que les cheveux sont génétiquement prédisposés à fabriquer moins de pigments à compter d'un certain âge et qu'il est impossible de contrôler l'arrivée des cheveux gris.) La bonne nouvelle, c'est qu'il existe plusieurs façons de les camoufler. Ma coloriste Lucie m'applique une couleur permanente qu'elle décrit comme une combinaison de trois tons, les bruns se mêlant à une touche dorée pour créer une teinte plus chaude et plus riche. Sur les pointes, elle utilise ce qu'on appelle un semi-lustre, qui ajoute de l'éclat et du teint sans donner plus de couleur. Le produit renferme des agents hydratants et des protéines de soja, car les pointes étant la plus vieille partie de la chevelure, elles tendent à être plus sèches. L'éclaircissant dont elle se sert pour mes mèches blondes contient des huiles naturelles de jojoba et de tournesol, ce qui fait qu'elles restent hydratées et brillantes plutôt que de s'assécher et devenir cassantes. (Ceci est important, car je fais une coloration et des mèches presque toutes les trois semaines en raison de la pousse rapide de mes cheveux.)

De nombreuses téléspectatrices m'ont envoyé des courriels me demandant s'il y a un moment où il vaut mieux accepter ses cheveux gris et ne plus appliquer de teinture. Lucie croit qu'il s'agit d'une décision très personnelle et qu'il n'y a pas d'âge auquel il faudrait soudainement laisser grisonner ses cheveux. «Je pense qu'en évoluant, nous sommes de plus en plus en harmonie avec notre style et la façon de nous sentir au mieux», dit Lucie. Je partage son avis. Si vous décidez de laisser vos cheveux devenir gris, cela ne pose aucun problème, mais vous ne devriez pas cesser de les colorer uniquement parce que vous avez atteint un certain âge. En fait, les colorer ou non dépend de votre sentiment personnel, du temps et de l'argent dont vous disposez pour leur entretien et de ce qui vous convient le mieux. Il n'y a pas de règles.

Si vous colorez vos cheveux, Lucie suggère cependant de rentabiliser votre investissement. C'est-à-dire qu'il vaut mieux utiliser des shampoings, conditionneurs et produits de traitement conçus pour les cheveux colorés. Ils sont habituellement hydratants et doux, ne décapent pas la couleur et renferment des ingrédients qui protègent des rayons UV et des éléments extérieurs (qui pâlissent et changent la couleur plus rapidement). Il en existe à tous les prix, aussi bien en pharmacie que dans les salons de coiffure haut de gamme. «Si vous consacrez du temps et de l'argent à une belle coloration, vous devriez en faire autant pour les produits capillaires en choisissant ceux qui conviennent à vos cheveux», ajoute Lucie. De plus, un traitement hydratant occasionnel, à la maison ou au salon, peut aider à renforcer et protéger la chevelure. Enfin, faites-les couper régulièrement afin de leur conserver un air de santé. Il n'est pas nécessaire de les couper beaucoup : un demi-centimètre suffit pour enlever les pointes sèches et redonner à votre chevelure allure plus saine et vibrante.

Le conseil de Robin. Ma belle-fille Erica, tout comme ses deux sœurs (elles sont des triplées), colore elle-même ses cheveux depuis plus de 10 ans. Son meilleur conseil aux femmes qui font de même consiste à les encourager à acheter leur teinture dans un salon de soins de beauté plutôt qu'à la pharmacie : «Vous y trouverez des gens compétents qui ont eu l'occasion de tester ces produits. Ils peuvent aussi vous aider à trouver la bonne couleur ou à la rectifier si vous n'avez pas aimé le résultat.»

L'autre partie importante de mes soins capillaires peut sembler n'avoir rien à voir avec mes cheveux : c'est l'équilibre de mes hormones. Tout comme la peau, les cheveux se modifient avec l'âge. Certains changements résultent des nombreux coiffages et des traitements chimiques (comme les teintures, les permanentes et les défrisages), mais d'autres sont dus aux fluctuations hormonales. « Au cours de la périménopause et de la ménopause, beaucoup de femmes se plaignent que leurs cheveux sont plus fins, plus secs, plus rêches, plus ternes ou plus cassants et moins vigoureux que lorsqu'elles étaient plus jeunes, et certaines deviennent presque chauves, explique Howard Liebowitz, M.D., directeur médical du Hall Center à Santa Monica (Californie). Cela est probablement dû au stress que l'organisme subit durant la ménopause en raison des changements hormonaux et métaboliques rapides. »

De plus, comme nous en avons parlé au chapitre sur la peau, les hormones agissent à titre de messagères dans l'organisme pour signaler aux cellules quoi faire. « Lorsque le taux d'œstrogènes diminue, certaines cellules, dont celles qui fabriquent l'humidité et les huiles du cheveu, ne reçoivent pas le signal nécessaire pour remplir leurs fonctions, ajoute docteur Liebowitz. Heureusement, la majorité des femmes me disent que leur chevelure s'améliore (ainsi que leur peau et leurs ongles) une fois que leurs hormones ont été rééquilibrées, particulièrement au moyen des hormones bio-identiques. » Je pense que d'avoir commencé à équilibrer mes hormones dès les premiers signes de la ménopause m'a aidée à ne pas connaître de changements sur le plan capillaire. La seule exception s'est produite au cours des trois semaines durant lesquelles je soignais ma thyroïde et où j'ai pris accidentellement trois fois trop d'hormones DHEA bio-identiques, qui augmentent le taux de testostérone dans l'organisme. Oui, trois fois trop ! Mon visage s'est couvert de boutons et mes cheveux ont commencé à s'amincir, mais dès que j'ai compris mon erreur, tout est rentré dans l'ordre. (Et j'ai appris à prendre des notes et à mieux écouter le médecin lors de mes rendez-vous.)

Je pense que mes cheveux sont en bonne santé, à la fois de façon générale et pour mon âge, en grande partie parce que je ne me suis jamais privée de nourriture et que j'ai un bon équilibre alimentaire. C'est vraiment important, car le manque de certains nutriments peut priver la chevelure de certaines huiles naturelles et des éléments qui créent sa structure de soutien. En fait, j'ai entendu des spécialistes dire que pour avoir des cheveux sains et éclatants (c'est valable pour la peau et les ongles également), il n'existe pas de produit à appliquer localement pouvant remédier aux effets d'une mauvaise alimentation. C'est précisément pour cette raison que les femmes qui suivent un régime draconien ou qui souffrent de troubles alimentaires comme l'anorexie ont souvent les cheveux plus minces, secs et cassants.

Ce qui est crucial pour la santé capillaire, ce sont les bons gras, qui constituent le principal matériau de structure d'une cellule vivante et représentent environ 3 % de la tige : les acides gras oméga-3 que l'on trouve dans les noix, le lin, l'huile d'olive, le saumon et les avocats. Sans eux, les cheveux se dessèchent, se cassent et ne poussent pas aussi vite. Les protéines sont un autre groupe alimentaire important. Comme les cheveux en sont constitués de 65 à 95 %, ils ont besoin d'un approvisionnement suffisant pour pouvoir allonger et conserver leur riche couleur. (Comme je l'ai déjà mentionné, j'adore la viande rouge et d'autres sources de protéines comme le poulet, ce qui est sans doute une des raisons pour lesquelles ma chevelure n'a jamais perdu son volume ni son éclat.) Les cheveux ont également besoin de fer, d'acide folique et de vitamines A, B, C, D et E. « Et buvez beaucoup d'eau, ajoute Lucie. Si votre organisme est bien hydraté, votre chevelure en bénéficiera. » Par chance, tous les nutriments nécessaires à la santé des cheveux sont également ceux qui permettent d'obtenir une peau radieuse et se prémunir contre la maladie. Par conséquent, être belle à l'intérieur comme à l'extérieur est en fait relativement facile et ne nécessite pas un remaniement complet de votre régime alimentaire.

Réponses du spécialiste

Lucie Doughty, coloriste auprès des célébrités et directrice de rédaction pour Paul Mitchell.

Comment puis-je trouver la meilleure coupe pour mettre mon visage en valeur ?

L'idéal consiste à consulter un coiffeur professionnel. Mais il est très utile de vous rendre au salon en ayant au moins une certaine idée de ce que vous aimez. Feuilletez des magazines et regardez des photos de vos amies, puis apportez-les au salon. Au cours de la consultation, vous pouvez montrer les photos au coiffeur et dire : « J'aime la frange de cette fille, mais je préférerais la longueur de cette autre. » Cela lui donnera une idée de ce que vous recherchez (il pourra aussi donner son avis sur ce que cela donnera sur vous). Pour trouver le coiffeur qui vous conviendra, posez des questions autour de vous. En plus de parler à vos amies, n'hésitez pas à aborder une femme dans la rue ou à une soirée pour lui demander qui la coiffe. Elle en sera flattée et vous aurez peut-être la coupe que vous souhaitez.

Qu'est-ce qui cause l'amincissement des cheveux ou leur chute ?

Il est en fait normal de perdre environ 100 à 150 cheveux par jour, car la chevelure passe par trois stades de croissance. Divers éléments peuvent cependant s'ajouter et avoir un effet sur l'épaisseur des cheveux quoique, la plupart du temps, ces effets sont temporaires et tout rentre habituellement dans l'ordre dès que la situation revient à la normale. Ces éléments sont :

- La grossesse. À chaque instant, une partie des cheveux est en période de croissance, une autre en phase de repos, et une troisième arrive à l'étape de la chute. Quand vous êtes enceinte, les hauts niveaux d'œstrogènes favorisent les phases de repos ou de croissance, et la chevelure peut paraître plus épaisse. Lorsque le taux d'œstrogènes diminue, environ 10 semaines à 9 mois après l'accouchement, ces cheveux en surplus commencent à tomber.

- Le stress. Les soucis de la vie, la maladie, la chirurgie ou une chute de poids peuvent également stopper la croissance des cheveux. Normalement, environ 90 % des cheveux sont en phase de croissance tandis 10 % sont au repos. Mais si vous êtes stressée, ce pourcentage peut atteindre 60 %.

- L'hypothyroïdie. Lorsque l'organisme ne produit pas suffisamment d'hormones thyroïdiennes, la chute des cheveux peut être un symptôme de cette maladie. Consultez votre médecin ou un professionnel de la santé si cette chute est accompagnée d'autres symptômes, comme la fatigue, le manque d'élan sexuel, un gain de poids, des ongles cassants, la constipation, des troubles de mémoire et de concentration, une peau sèche ou rugueuse, la dépression, une transpiration fréquente, des poches sous les yeux, un taux élevé de cholestérol (malgré un bon régime alimentaire), des symptômes ménopausiques prononcés, des douleurs musculaires, des règles irrégulières, l'infertilité, des extrémités froides, de la difficulté à vous mettre en route le matin et une impression de confusion mentale.

- Les médicaments. La perte de cheveux peut être un effet secondaire de médicaments comme les bêtabloquants, les antidépresseurs, une médication pour le cholestérol, la pilule contraceptive ou même un surplus de vitamines comme la vitamine A.

- Les gènes. Ils déterminent l'apparence d'une grande partie de vos cheveux, dont la forme, la texture et la couleur, et ils sont également responsables de l'alopécie androgène qui cause une perte de cheveux près du front et sur le dessus de la tête. Bien que certaines causes de cheveux clairsemés puissent être guéries si le problème est réglé à la source, comme c'est le cas pour les carences nutritives ou le stress, la perte de cheveux d'origine génétique peut être permanente. Informez-vous auprès de votre médecin pour connaître des façons d'y remédier.

Quels sont les autres facteurs pouvant endommager les cheveux ?

- Fumer. Chaque follicule de cheveu a besoin de nutriments et d'oxygène pour croître et, à cette fin, une bonne circulation est impérative. Comme nous l'avons vu dans le chapitre sur la peau, fumer perturbe l'approvisionnement en oxygène et affecte donc son acheminement vers le cheveu. On croit, par ailleurs, que les fumeurs ont quatre fois plus de cheveux gris que les non-fumeurs et que fumer peut causer une chute des cheveux.

- Le chlore et l'eau salée. Les deux peuvent altérer l'humidité naturelle de la chevelure, la rendant plus sèche et fragile. (Le chlore peut également donner une apparence terne aux cheveux blonds.) Avant d'aller dans la piscine ou dans la mer, rincez vos cheveux à l'eau douce, car cela remplira les régions poreuses, limitant la pénétration du chlore et de l'eau salée, et portez un bonnet de bain. Vous pouvez même faire encore mieux en appliquant une fine couche de conditionneur sur les cheveux mouillés avant d'aller vous baigner, ce qui les hydratera tout en les protégeant du chlore. Faites un shampoing et appliquez un conditionneur immédiatement après la baignade (surtout si vous restez dehors, car la chaleur du soleil rend le chlore et l'eau salée encore plus dommageables) et, si vous vous baignez souvent chaque semaine, utilisez un conditionneur en traitement de fond régulièrement.

- Le coiffage. La chaleur et le souffle du séchoir peuvent rendre les cheveux cassants. Il ne faut donc utiliser le séchoir, le fer plat ou les rouleaux chauffants que lorsque c'est nécessaire, après avoir appliqué des produits protecteurs. Avant de vous servir du séchoir, laissez sécher vos cheveux presque complètement, puis n'utilisez le fer plat ou les rouleaux chauffants que sur des cheveux secs.

• L'environnement intérieur. Le chauffage et la climatisation altèrent l'humidité des cheveux, les assèchent et les rendent cassants. Appliquez des hydratants et des conditionneurs sans rinçage.

• Le soleil. Les rayons UV assèchent les cheveux et ternissent leur couleur. Heureusement, il existe de nombreux vaporisateurs et produits coiffants qui renferment des filtres UV pour protéger les cheveux des rayons du soleil. Si vous passez une longue période dehors, portez un chapeau. (Comme le soleil peut également causer le cancer de la peau sur le cuir chevelu, il est impératif de porter un chapeau ou d'appliquer un écran solaire.)

Il existe tellement de couleurs et de techniques différentes qu'il est difficile d'arrêter son choix. Expliquez-moi l'essentiel à connaître.

La coloration capillaire, qui offre plusieurs possibilités pour transformer facilement votre chevelure en y ajoutant de l'éclat et du volume, est en fait assez simple quand on la décompose. D'abord, la couleur se présente en trois catégories principales.

• La coloration permanente qui, comme son nom l'indique, ne s'efface pas au lavage, mais plutôt avec la repousse de la chevelure. Cette formule éclaircit ou fonce les cheveux, et couvre également le gris.

• La coloration semi-permanente dure jusqu'à 24 shampoings. Elle peut foncer ou aviver la chevelure, mais non l'éclaircir ; elle peut aussi servir à camoufler une partie de cheveux gris.

• La coloration temporaire dure jusqu'à 8 shampoings. Comme elle est de courte durée (elle teint les cheveux en surface seulement), c'est une bonne formule pour essayer une couleur. Elle peut foncer ou aviver la teinte des cheveux, et couvrir une petite partie de cheveux gris.

Il existe par ailleurs trois techniques de coloration des cheveux.

- Les mèches plus foncées ou plus pâles ajoutent de la couleur dans toute la chevelure et représentent un bon moyen de camoufler les cheveux gris. Elles fournissent une apparence naturelle sans l'entretien que nécessite la coloration complète. On crée la teinte des mèches à partir d'une nuance plus pâle ou plus foncée que votre couleur naturelle. La fréquence des retouches dépend de l'écart de ton entre les mèches et votre couleur naturelle, mais elle varie de 8 à 12 semaines.
- La coloration complète change la couleur de toute la chevelure, soit pour la pâlir, la foncer ou l'aviver. Selon qu'elle sert à couvrir le gris, à éclaircir ou à foncer vos cheveux, la fréquence des retouches peut varier de 4 à 8 semaines.
- La coloration par balayage ajoute de la dimension à la chevelure au moyen d'au moins trois nuances différentes. Encore une fois, la fréquence des retouches dépend de l'écart de ton entre la teinture et votre couleur naturelle, mais la moyenne est de 4 à 6 semaines.

Je n'ai pas les moyens d'aller chez le coiffeur pour ma coloration. Avez-vous des conseils pour bien la réussir à la maison?

- Ne vous écartez pas de plus de deux tons de votre couleur naturelle. Si vous désirez un changement plus prononcé, il vaut mieux prendre rendez-vous avec un bon coiffeur.
- Lisez les renseignements sur l'emballage pour déterminer la couleur qui vous convient. On y indique souvent la couleur actuelle de vos cheveux et celle que vous obtiendrez ensuite.
- Composez le numéro sans frais qui figure sur la boîte si vous avez des questions au sujet du choix de la couleur ou du procédé de coloration.

- À la maison, faites un essai sur une mèche de cheveux de la largeur d'un doigt (prise sous la chevelure, dans la partie arrière). Posez-la sur du papier hygiénique ou essuie-tout, car le contraste vous donnera ainsi une idée exacte de la couleur finale.

- Si vous retouchez la couleur, appliquez le produit sur la repousse seulement afin de réduire les dommages à la chevelure.

- Certaines marques, comme Clairol, ont un site Web sur lequel il vous est possible télécharger une photo de vous afin de constater l'effet de différentes couleurs.

- Assurez-vous de laisser le produit sur la chevelure le temps exact spécifié dans les directives, car si vous le rincez trop tôt, la pénétration risque d'être insuffisante, et si vous attendez plus longtemps, la teinte ne sera pas celle que vous recherchiez.

- Ne conservez pas le reste du flacon pour un usage ultérieur. Le produit est conçu pour être utilisé dans les deux heures. Autrement, il ne sera plus aussi puissant et pourrait ne pas donner les résultats escomptés.

Quelles questions dois-je me poser avant d'entreprendre une coloration?

- Qu'est-ce que je recherche? Une apparence naturelle ou audacieuse?

- À quelle fréquence devrai-je faire la coloration moi-même ou aller chez le coiffeur?

- Quel est mon budget? Combien devrai-je investir pour conserver une chevelure saine et éclatante? La réponse à cette question vous évitera de vous engager dans une aventure qui risque de vous déplaire ou que vous ne pourrez pas poursuivre.

Le bien-être et le maquillage

« Pourquoi ne pas essayer ceux-là ? m'a demandé Tina, la maquilleuse de l'émission, en me tendant trois tubes de rouge à lèvres. Ce sont les teintes à la mode. »

J'ai fait non de la tête.

« *Robin*, tu portes la même couleur depuis des années, a-t-elle répliqué. (Dix, pour être exacte.) La caméra grossit tes lèvres et cette teinte les fait paraître plus épaisses. Pourquoi ne pas en *essayer* une teinte un peu plus pâle. »

« Mais *j'ai* de grosses lèvres. »

Tina a alors tenté son argument final : « Son apparence naturelle est vraiment jolie. »

« Pas question. » Nous avons alors pouffé de rire. Nous reprenions cette conversation presque chaque mois, et elle se terminait toujours de la même façon. (Chapeau à la persévérance de Tina.)

Je pense que Tina est une véritable artiste qui réalise un travail magnifique à l'émission et en séances photo, et je ne suis certainement pas une spécialiste dans ce domaine. Sauf que *je suis l'experte* en ce qui concerne mon propre maquillage, grâce à des dizaines d'années de pratique. Quoique j'aime bien expérimenter différentes allures, je sais exactement ce qui me plaît et, lorsque je trouve un produit qui me convient (comme le Lip Glacé Laura Mercier), je m'y tiens.

Le conseil de Robin. Vous aimez peut-être l'effet du brillant à lèvres ou de la simple gelée de pétrole, mais son éclat peut attirer les rayons UV et accroître le risque de cancer de la peau. Il vaut mieux vous assurer que votre brillant à lèvres renferme de l'écran solaire, ou appliquer dessous un baume ou un rouge à lèvres qui en contient.

Longtemps avant que les caméras ne fassent partie de ma vie et que j'habite à Hollywood, j'avais déjà une passion pour le maquillage. C'est sans doute en raison du regard critique pour le design et la créativité que j'ai hérité de ma mère, et aussi le résultat du fait que j'avais trois sœurs aînées. Toutes trois, surtout les deux plus âgées, étaient très coquettes, et « maquillage » a certainement été l'un de mes premiers mots. J'exagère peut-être, mais dans mes souvenirs d'enfance, mes sœurs me maquillaient à tour de rôle. J'adorais ça, surtout lorsque j'étais au secondaire et qu'elles camouflaient mes taches de rousseur. Sauf que mon père n'était pas d'accord. Seul mâle avec mon frère dans une maisonnée de femmes, mon père avait une attitude très protectrice à l'égard de ses filles et ne voulait pas que nous sortions trop maquillées ou que nous ayons l'air vulgaires, même s'il n'a jamais utilisé ce mot. Il commentait fréquemment notre tenue, coiffure ou maquillage, avant que nous ne sortions. Je l'entends encore dire par exemple : « Les filles, vous êtes trop maquillées, allez en enlever un peu » ou « Vos cheveux sont trop gonflés » (il est vrai que nous exagérions parfois au moment où les coiffures bouffantes étaient à la mode).

Lorsque mes sœurs ne me maquillaient pas, je le faisais moi-même. Et tout comme je me suis renseignée sur les médecins, la ménopause et les vitamines, j'ai examiné les diverses gammes de produits de beauté. À 20 ans, je n'avais pas un gros budget à consacrer au maquillage et la qualité des produits n'était pas celle d'aujourd'hui. Ne levez donc pas le nez sur les cosmétiques vendus en pharmacie et dans les grandes surfaces. En fait, de nos jours, certaines chaînes permettent même de rapporter des emballages ouverts. Cela vous autorise à tester les produits chez vous, sans trop vous inquiéter si la couleur choisie ne vous plaît pas. (Assurez-vous simplement de connaître la politique concernant les retours du magasin avant d'acheter.)

Autrefois, ceci n'étant pas possible, pour avoir une idée de ce que j'aimais, je devais faire le tour des différents comptoirs de cosmétiques, comme Clinique, Estée Lauder et Prescriptives, entre autres, et laisser les vendeuses me montrer comment utiliser les produits. C'est d'ailleurs une démarche que je recommande vivement, car cela équivaut à une leçon de maquillage gratuite. La plupart des préposées ont reçu une excellente formation, et plusieurs d'entre elles sont très douées. En fait, certaines maquilleuses de célébrités ont commencé leur carrière en offrant des maquillages gratuits dans les grands magasins.

Alors, à mon heure de déjeuner ou durant mon jour de congé, je me rendais à l'un de ces comptoirs et je disais : « Je dispose d'une demi-heure et j'aimerais apprendre à me maquiller les yeux ». Je regardais la maquilleuse travailler dans le miroir, mais lorsque ce n'était pas possible, je lui demandais d'écrire le nom des produits utilisés et pourquoi, l'endroit où elle les avait appliqués et comment. Bien entendu, je n'hésitais pas à poser des questions durant le processus. Je demandais par exemple : « Pourquoi faites-vous ceci ? » ou « Qu'avez-vous mis par-dessus cela ? » De plus, je me suis aperçue que de nombreuses artistes du maquillage offraient des conseils fascinants non seulement pour mettre le visage en valeur mais également pour camoufler des défauts. Il est possible de leur demander conseil, par exemple, pour réduire un nez trop large ou grossir des lèvres trop minces.

Le conseil de Robin. Souvent, quand j'achetais des produits de beauté dans un grand magasin et qu'on y ajoutait un ensemble de cadeaux, je n'utilisais finalement que la trousse les contenant. Les produits qu'elle renfermait étaient toujours très beaux, mais rarement dans des couleurs me convenant, surtout lorsqu'il s'agissait de rouges à lèvres, en général trop foncés. Alors, quand mes fils étaient plus jeunes, à leur anniversaire, je me servais de ces tubes de rouge pour écrire « Joyeux anniversaire ! » sur le miroir de la salle de bains, ou leur âge sur la porte de la douche ou le couvercle de la toilette. J'aimais bien commencer cette journée spéciale de façon amusante, et ils adoraient cette surprise du matin.

À moins d'être *absolument sûre* d'aimer un produit en particulier, je ne l'achetais pas tout de suite. Je préférais plutôt porter le maquillage au préalable pour voir si j'aimais les couleurs et le produit. Souvent on nous offrait des échantillons, ce qui me laissait quelques jours pour voir comment ma peau, hyper sensible, réagissait. Si j'appréciais l'apparence et que ma peau n'était pas irritée, j'allais acheter quelques produits. Mais si je n'aimais pas le résultat, je retournais au même comptoir ou à un autre, et je faisais un nouvel essai. Je disais : « La dernière fois, vous m'avez appliqué ce fard pour les yeux, d'une manière qui ne me convient pas vraiment. Pouvez-vous me montrer une autre façon de souligner mon regard ? » Parfois, j'y allais quand je savais que je sortais pour dîner ou pour une occasion spéciale. Après tout, pourquoi ne pas profiter d'une belle transformation ? Il peut sembler intimidant au départ de se présenter à un comptoir qui offre un maquillage gratuit (surtout si vous pensez devoir acheter quelque chose, mais rappelez-vous simplement que vous n'y êtes pas obligée). Dites-vous plutôt que c'est une expérience amusante, une façon gratuite d'être dorlotée tout en apprenant quelque chose. Après tout, savoir améliorer son apparence contribue beaucoup à accroître sa confiance en soi. Des choses très simples, comme savoir réaliser ce regard mystérieux dont vous rêvez ou camoufler une imperfection, peuvent vous aider à vous sentir superbe.

Mes leçons auprès des maquilleuses des grands magasins, jointes à mes expérimentations personnelles, m'ont rendue experte dans l'application de mon maquillage et m'ont permis de savoir ce qui me convient le mieux, à tel point que je me maquille presque entièrement par moi-même pour l'émission. (Tina m'aide, bien entendu, mais j'en reparlerai dans les pages qui suivent.)

À la manière de Robin

J'aime beaucoup expérimenter de nouveaux produits, mais en voici quelques-uns que j'ai adoptés et dont je ne saurais me passer.

- Lip Glacé, de Laura Mercier, en différentes nuances de rose
- Contour des lèvres Precision Lip Correction, de Chanel, couleur roux-sienna
- Soin cellulaire Rose Illusion (correcteur de rides), de La Prairie
- Correcteur pour le visage, de Clé de Peau
- Fond de teint naturel satiné, de Clé de Peau
- Rehausseur d'éclat Contour Defining Powder, de Clé de Peau
- Recourbe-cils, de Shu Uemura

- Soin intense des cils Lash Primer Plus, d'Estée Lauder
- Exceptionnel Mascara Volume Intense, de Chanel, en Smoky Marine
- Luxurious Mascara, d'Yves Saint-Laurent, en bourgogne
- Mascara Great Lash, de Maybelline
- Éponges cosmétiques naturelles, de Max Factor
- Nettoyant à pinceaux, de MAC

*Comme je l'ai déjà mentionné, je n'ai aucun lien financier ou commercial relatif aux produits ou services professionnels cités dans cet ouvrage.

Les jours d'enregistrement, je prends une douche, j'applique mon hydratant facial, je laisse sécher puis j'étale ma base de teint. Je porte une base depuis des années parce que j'aime beaucoup comment cette première couche comble les ridules ou les imperfections et offre une surface plus lisse sur laquelle appliquer mon fond de teint. Cela permet par ailleurs d'éviter que ce dernier forme des lignes fines, le rendant plus apparent. Quoique j'aie utilisé différents produits, mon favori en ce moment est le Soin cellulaire Rose Illusion Correcteur Rides, de La Prairie, car il s'applique en douceur et hydrate la peau, un aspect important pour les peaux matures. Pendant que cette couche de fond sèche, je me prépare un café.

J'applique ensuite un produit correcteur, que j'utilise depuis l'époque de mes 20 ou 30 ans, alors que je luttais contre l'acné et la folliculite. En raison de ces problèmes de peau, j'ai essayé des tas de produits correcteurs et je pense avoir vraiment trouvé le produit idéal quand j'ai découvert celui proposé par Clé de Peau. Il existe en trois teintes, dont j'ai choisi la plus claire, ivoire. Il dissimule admirablement, tout en étant léger sur ma peau, et il reste en place durant des heures (c'est important, surtout lorsque nous enregistrons deux ou trois émissions d'affilée). Il se présente sous la forme d'un bâton pour les lèvres ; je l'applique en une fine couche là où j'en ai besoin, avant de bien l'étaler à l'aide d'une éponge. Mais pas n'importe quelle éponge usagée. Je connais de nombreuses maquilleuses qui ne jurent que par les petites éponges blanches, triangulaires, mais elles ne me conviennent pas. Je pense qu'elles absorbent trop de fond de teint et créent de la friction, ce qui rend l'application difficile. J'utilise plutôt les éponges naturelles à cosmétiques de Max Factor, que j'ai découvertes il y a 20 ans dans un magasin Safeway à Wichita Falls (Texas). Comme elles ne sont plus faciles à trouver, j'en fais provision en ligne dès que je peux. J'aime beaucoup aussi les éponges roses en forme de larmes par Beauty Blender, que Tina a trouvées il y a environ un an. (En vente dans les magasins de produits de beauté ou sur le Web.) Ces deux sortes d'éponges permettent si merveilleusement d'étaler le fond de teint que ma peau acquiert une apparence lisse et uniforme, et non pas sèche et pâteuse. Elles empêchent également le fond de teint de s'infiltrer dans les ridules autour des lèvres. Pour moi, étaler soigneusement le fond de teint au moyen d'une éponge est le secret pour qu'il ait l'air naturel. Je tapote le produit autour des lèvres, du nez et des yeux jusqu'à ce qu'il soit bien lisse.

Les jours où nous n'enregistrons pas et que je fais simplement mes courses ou que je m'affaire à la maison, tout ce que j'ajoute à ce maquillage de base, c'est un peu de rouge à lèvres. Mais, lorsque je dois me présenter devant les caméras, l'étape suivante consiste à mélanger sur une palette de plastique la teinte B10 avec un peu de B20 du Fond de teint naturel satiné Clé de peau. Je l'applique à partir du dessous des yeux jusqu'à la mâchoire, puis je l'étale à l'aide de ces merveilleuses éponges. Vient ensuite la poudre, un produit qui, selon certaines, serait à éviter quand on prend de l'âge. À mon avis, c'est un mythe, au même titre que de devoir couper ses cheveux après un certain âge, et je ne suis pas d'accord. Je porte de la poudre depuis des dizaines d'années, car elle offre un beau fini et aide à faire tenir le maquillage plus longtemps. Je fais attention de ne pas trop en mettre (autrement, la poudre peut faire ressortir les ridules et les rides), et je l'étale bien sur tout le visage en tapotant avec une houppette. Ma préférée en ce moment est le Rehausseur d'éclat Clé de Peau, qui renferme de fines particules qui reflètent la lumière et donnent un fini lisse à la peau, en camouflant les ridules et les imperfections. C'est une sorte d'illusion d'optique, mais ça fonctionne. De nombreux fabricants de cosmétiques, parmi ceux vendus en pharmacie jusqu'aux gammes qu'on trouve dans les grandes surfaces, offrent des fonds de teint, des poudres et des hydratants teintés qui contiennent ces fines particules réfléchissant la lumière (qu'on appelle aussi des diffuseurs optiques), ce qui est indiqué sur leur étiquette. Je vous suggère de les essayer si vous désirez réduire l'apparence des ridules, taches et autres légères imperfections.

Ensuite, je passe aux sourcils. Les spécialistes ont raison de dire que la forme des sourcils peut rehausser l'apparence du visage et le faire apparaître plus jeune. Surtout si vos paupières sont affaissées, car, en créant un arc, vous donnerez l'illusion qu'elles sont relevées. D'ailleurs, lorsque l'on dégage la peau sous l'arcade sourcilière, l'œil paraît plus grand et vous avez l'air plus alerte, l'attention étant détournée de vos cernes. Cela dit, il y a une marge entre dégager suffisamment l'arcade et épiler trop. Alors, même si vous n'avez pas les moyens de vous faire épiler régulièrement, cela vaut certainement la peine de le faire faire au moins une fois par une professionnelle, dans un centre de soins corporels ou dans un salon de beauté. Vous aurez ainsi une meilleure idée de la forme qui vous sied le mieux, et vous pourrez l'entretenir vous-même par la suite. Vous pourriez aussi vous offrir l'une des superbes trousses à sourcils qu'on trouve chez Sephora et dans les grands magasins. Plusieurs d'entre elles ont été créées par des maîtres du sourcil (oui, il existe de grands spécialistes des sourcils), et elles renferment tous les outils nécessaires, comme les crayons, poudres, gels et pinces, ainsi que des directives pour réaliser, étape par étape, l'arc idéal.

J'ai toujours détesté mes sourcils (c'est en partie pour cette raison que je porte une frange depuis des années), mais le problème ne provient pas de leur courbe ou de leur longueur. En fait, mes sourcils poussent tellement vite que je dois les retoucher chaque semaine. Mais le problème réside surtout dans le trop grand écart qu'il y a entre eux. Certaines personnes m'ont demandé pourquoi je les épilais de cette manière, mais je n'y suis pour rien, c'est la nature. Je suis née ainsi et, à moins d'une transplantation sourcilière (que je ne ferai pas, mais qui existe), il n'y a rien que l'on puisse faire. Pour faire un peu illusion sur leur apparence, j'utilise une poudre à sourcils et une toute petite brosse pour les remplir et leur donner une forme (il faut toujours suivre le sens de la pousse), puis j'applique un gel transparent pour fixer la couleur. Je n'insiste pas trop, car je n'aime pas qu'ils aient l'air dessinés, mais je leur consacre quand même un peu d'attention.

Ensuite, je maquille les paupières, ce que j'ai grand plaisir à faire. Devant le miroir, je soulève délicatement mon sourcil afin de travailler sur une surface lisse. (J'ai commencé à faire cela il y a quelques années, quand j'ai remarqué quelques plis sur mes paupières.) D'abord, j'applique un fard de base, habituellement une teinte légèrement dorée, dont je recouvre la paupière à l'aide d'un pinceau. (Il faut commencer le plus près du nez, en allant vers le côté extérieur, en un mouvement appuyé.) Cela crée une belle surface uniforme sur laquelle appliquer mon fard de couleur, lui permettant aussi de durer plus longtemps. Puis, je plonge mon pinceau dans une ombre à paupières de couleur cuivre ou prune (suivant mon humeur et ce que je porte), je retire le surplus à l'aide d'un mouchoir, et je remplis le creux. Je commence par le coin externe de l'œil en allant vers le coin interne, puis dans un mouvement semblable à celui de l'essuie-glace.

Quoique j'aie récemment cessé d'employer un traceur (*eye-liner*) parce que je trouvais que j'avais l'air trop maquillée, j'utilise tout de même un crayon noir, sous la paupière supérieure, le long des cils, de manière à faire ressortir mes cils et leur donner une apparence plus épaisse. Bien entendu, je n'insisterai jamais trop sur *l'extrême précaution* dont il faut faire preuve quand on emploie un crayon pointu sous la paupière, et il ne faut donc jamais poser ce geste quand vous êtes pressée ou au volant. S'il faut que j'aie l'air plus réveillée et alerte, j'applique un crayon blanc au bord de la paupière inférieure ou un crayon bleu pâle dans les coins, un truc que j'ai appris d'un maître maquilleur.

Après quoi, je me concentre sur mes cils, afin de bien définir le regard. Je dois dire que si je devais partir sur une île déserte où je n'apporterais que le minimum, mon recourbe-cils Shu Uemura serait en tête de liste (après Phillip, bien entendu). Mes cils sont droits et malgré leur longueur, ils ne se voient donc pas. Voilà pourquoi j'utilise ce recourbe-cils en le plaçant le plus près possible des racines sur la paupière supérieure et je presse plusieurs fois pour obtenir une belle courbure. Lorsque les cils sont bien recourbés, ils ouvrent l'œil et donnent l'impression que vous avez bien dormi, même quand vous êtes totalement épuisée.

L'autre produit dont je ne peux me passer est le Lash Primer Plus d'Estée Lauder, qui se présente en tube comme le mascara ; il est blanc à l'application et devient transparent en séchant. Quelques couches à peine épaississent les cils ; je n'ai donc pas besoin d'utiliser ensuite beaucoup de mascara, et cela aide à le faire tenir. (C'est également super pour mes cils inférieurs sur lesquels je ne peux appliquer que très peu de mascara, sans quoi ils retombent sur le visage.) J'enchaîne avec deux sortes de mascara, en prenant chaque fois le soin d'essuyer le bout de l'applicateur contre l'ouverture du tube, pour enlever tout surplus qui donnerait aux cils un aspect compact. Je mets d'abord le Chanel Exceptionnel Mascara Volume Intense, Smoky Marine, qui est un mascara bleu absolument magnifique. Ne me demandez pas pourquoi j'ai choisi cette couleur, je n'en sais rien sinon que j'adore l'effet. Une fois celui-ci sec, j'applique le Luxurious Mascara d'Yves Saint-Laurent, de teinte bourgogne, une couleur riche qui fait ressortir mes yeux, ou le Great Lash de Maybelline, que j'utilise depuis des dizaines d'années. Je vais d'une extrémité à l'autre, en passant la brosse une dizaine de fois. Puis, j'applique une touche de l'ombre à paupières que j'ai utilisée précédemment, au moyen d'un minuscule pinceau, pour former un ombrage léger sur la bordure extérieure des cils inférieurs. Cela détourne l'attention de mon léger strabisme.

Jusqu'ici, il m'a fallu environ 20 minutes, mais j'ai presque terminé. Je prends un gros pinceau que je plonge dans mon fard à joues MAC (j'utilise deux teintes, Buff et Swoon), j'en enlève le surplus en le secouant au-dessus de l'évier puis, souriant largement, j'applique délicatement le fard sur les pommettes. Je passe également le pinceau à la racine des cheveux, au-dessus des sourcils et sur les côtés de mon visage, en veillant à ce que les couleurs se fondent bien. La grande finale est le rouge à lèvres, un produit que j'ai toujours porté parce que mes lèvres sont très pâles (elles tendent d'ailleurs à perdre leur couleur avec l'âge); sans rouge, j'ai l'air complètement lessivée. Je dessine le contour au moyen du Precision Lip Correction de Chanel, couleur roux-sienna, puis je l'estompe pour en atténuer un peu la teinte, et je termine par le Lip Glacé de Laura Mercier dans l'un des tons de rose.

Le conseil de Robin. Saviez-vous qu'il reste une bonne quantité de rouge à lèvres dans le tube quand vous ne pouvez plus l'appliquer? Conservez le reste dans un petit contenant en plastique ou une boîte à pilules, puis employez-le en vous servant d'un pinceau à lèvres.

Je suis finalement prête à partir pour le studio. Là-bas, Tina examine mon maquillage et fait les retouches nécessaires pour la caméra. Comme c'est le cas pour la chevelure, l'aspect du visage est différent à la télé, et un maquillage qui serait parfait en temps normal peut ne pas être suffisant. Tina en rajoute un peu pour mieux définir la mâchoire ou le regard et, tout au long de l'émission, elle vient remettre un peu de poudre pour minimiser certains reflets, ainsi que du brillant sur les lèvres lorsque celui-ci s'efface. Tina se dit toujours impressionnée par mon talent à me maquiller moi-même, mais malgré ce compliment d'une spécialiste, j'étais plutôt inquiète lorsque l'émission est passée en haute définition (HD) au début de la septième saison. Comme la plupart des gens, je préfère regarder la télé en HD, car les images sont tellement nettes qu'on se sent plus près de l'action.

Toutefois, c'est cette précision des détails (et donc de chaque ride, chaque cheveu et chaque imperfection) qui fait paniquer ceux qui se trouvent devant la caméra, moi comprise. Je me rappelle avoir regardé la première émission enregistrée en haute définition. Nous avions une invitée qui aurait eu belle apparence devant les caméras habituelles, mais sur le visage de qui on pouvait déceler, en haute définition, un duvet, de fins poils comme on en trouve chez tout le monde, et que l'on remarque à peine en personne ! J'étais alors certaine que le côté amateur de mon maquillage transparaîtrait, et que je n'aurais d'autre choix que de me lever plus tôt pour faire faire mon maquillage par une professionnelle. Vous imaginez donc ma joie quand les séances de test ont révélé que mes techniques personnelles combinées aux retouches de Tina convenaient très bien (C'était super ! Je pourrais donc conserver cette heure supplémentaire de sommeil.)

En plus de ce maquillage quotidien (dont je n'avais jamais réalisé l'ampleur avant d'écrire ce livre), je voudrais indiquer certaines façons de faire :

Renouvelez régulièrement vos produits de beauté. Vous savez qu'il vous faut un nouveau mascara quand le dessus du tube s'est empâté, mais vous devez également remplacer vos autres produits pour éviter une infection cutanée ou oculaire ainsi que pour conserver la qualité de ce que vous achetez. En règle générale, vous devez remplacer le mascara tous les 3 à 6 mois (tout ce qu'on utilise sur les yeux peut être contaminé par des bactéries) ; le traceur, le fond de teint et le produit correcteur, au bout de 6 à 12 mois ; et les crayons pour les yeux et les lèvres, les rouges et les brillants à lèvres, chaque année. Bien entendu, jetez sans tarder tout produit à l'apparence ou à l'odeur étrange, car cela pourrait signaler une contamination bactérienne ou la décomposition des agents de conservation.

Appliquez un œuf sur votre visage. L'une de mes façons préférées de donner un coup d'éclat à ma peau, avant une occasion spéciale ou chaque fois que j'en ai besoin, consiste à appliquer un blanc d'œuf fouetté sur mon visage, à le laisser sécher, puis le rincer avant de me maquiller. D'ailleurs, lorsque nous partons en voyage, j'appelle souvent l'hôtel à l'avance pour qu'on le prépare. Je jure que ce truc resserre la peau et lui donne de l'éclat.

Achetez de bons pinceaux. Tous les artistes maquilleurs sont d'accord sur ce point : cela vaut la peine d'investir dans des pinceaux et des outils de qualité. Une grande maquilleuse a déjà dit : « Les pinceaux sont comme l'équipement de sport : meilleur est l'équipement, meilleure est votre performance. » Je suis d'accord, parce que la coupe et la qualité des poils rendent l'application plus rapide, plus facile et plus précise. Malheureusement, les pinceaux vendus avec le maquillage ne sont pas toujours de la meilleure qualité ou ils sont trop petits pour être vraiment utiles. Cela dit, seuls les pinceaux faits de poils naturels (martre, écureuil ou poney, par exemple) sont généralement très chers, mais tous les spécialistes affirment qu'ils ne sont nécessaires que pour appliquer les produits en poudre, comme le fard à joues, le fard à paupières, le fond de teint en poudre et la poudre libre ou compacte, parce que la couleur y adhère mieux que sur les poils synthétiques, et qu'ils la déposent sur la peau en évitant les stries. Vous pouvez utiliser des pinceaux synthétiques, moins chers, pour les produits en crème, comme les rouges à lèvres, le fard à joues en crème, le fond de teint ou un produit correcteur. Si vous entretenez bien vos pinceaux, ils dureront très longtemps. Et cela m'amène à mon prochain conseil.

Lavez vos pinceaux régulièrement. Une fois par semaine, je mets à tremper les poils de tous mes pinceaux (j'utilise cinq pinceaux fabriqués par Karen) dans un bol contenant du nettoyant à pinceaux MAC Brush Cleanser, afin de les nettoyer et les désinfecter. Vous n'êtes cependant pas obligée d'acheter un produit spécial. Un tout petit peu de shampoing suffit (celui pour bébés est très doux). Assurez-vous de ne tremper que les poils et non le manche en métal, afin de ne pas perdre la colle qui retient les poils ensemble. Ensuite, je les rince très soigneusement, puis je les laisse sécher sur une serviette.

Au sujet des pinceaux, voici un autre truc que j'aime beaucoup. Vous pouvez les payer moins cher en les achetant dans un magasin d'articles d'art. Mais oui ! Vous pouvez vous y procurer les mêmes pinceaux en poils de poney, de martre ou de chèvre, dans toutes les tailles, pour une fraction du prix. (Il suffira peut-être de raccourcir le manche.) Comme je l'ai dit précédemment, les produits de beauté vendus en pharmacie et dans les grandes surfaces sont de plus grande qualité qu'avant et on y trouve de très bons pinceaux en poils naturels. Si vos moyens sont limités, comparez leurs prix avec ceux des magasins d'articles d'art avant de choisir ceux qui vous conviennent le mieux.

Acceptez d'investir dans le produit que vous aimez. Je sais que de nombreux bons produits coûtent cher, mais il y en a certains, comme mon fond de teint ou ma crème de coiffage favorite, dont j'utilise une si petite quantité à la fois qu'un pot ou un tube peut durer jusqu'à un an. Voilà pourquoi dépenser plus pour un produit de qualité peut en valoir la peine.

Demandez vos produits de beauté en cadeau. Avant d'avoir les moyens d'acheter du maquillage, je demandais des chèques-cadeaux de mes magasins préférés comme cadeau d'anniversaire ou pour Noël. Je l'ai mentionné dans le chapitre sur la peau : dire à votre famille ou à vos amis ce que vous voulez peut sembler étrange, alors que c'est en fait une situation rêvée pour la personne qui désire vous faire un cadeau. Pour elle, nul besoin de chercher le cadeau idéal, et vous obtenez exactement ce que vous voulez.

Trouvez les couleurs qui conviennent à votre teint. C'est plus facile à dire qu'à faire, je le sais d'autant plus qu'il m'a fallu des années pour arrêter mon choix sur le fard à joues qui me convient. À une époque, il était trop foncé ou trop orangé (j'en mettais trop de toute façon), or, aujourd'hui, vous seriez surprise de constater à quel point mon fard à joues est rose vif. La meilleure façon de trouver la bonne couleur de fond de teint, de fard à joues ou de rouge à lèvres consiste à faire des essais, consulter des professionnelles aux comptoirs de cosmétiques, ou demander l'avis d'une amie ayant un œil averti.

Je sais que le sujet du maquillage peut sembler superficiel (le jeu de mots est voulu). Pourtant, je crois que ça ne concerne pas que la surface de la peau. Dans un monde idéal, nous pourrions toutes circuler tranquillement avec nos imperfections ou nos rides, mais ce n'est pas réaliste. Comme j'ai passé des années aux prises avec l'acné et la folliculite, je connais la confiance en soi que procure le camouflage des boutons. Cette confiance en soi augmente l'estime de soi et améliore l'humeur, ce qui se répercute sur tous les autres aspects de notre vie, qu'il s'agisse de nos relations personnelles et professionnelles, ou de notre façon de percevoir le monde. Et ceci, à mon avis, n'est pas superficiel du tout.

Réponses du spécialiste

Matthew Vanleeuwen, artiste maquilleur de célébrités comme Heidi Klum, Scarlet Johansson, Salma Hayek, Kate Beckinsale et Mariska Hargitay.

Comment puis-je me servir du maquillage pour paraître plus jeune?

- L'un des meilleurs moyens de vous donner un air de jeunesse consiste à détourner l'attention de la bouche en amplifiant le regard. (Cela ne signifie pas de maquiller exagérément vos yeux, mais ce peut être aussi simple que de recourber vos cils et de mettre du mascara.) Ensuite, il s'agit de neutraliser la couleur des lèvres au moyen d'un beige ou d'une couleur neutre semblable à votre teinte naturelle ou légèrement plus pâle. Ce truc simple détourne l'attention vers les yeux et les joues et fait paraître plus jeune. Souvent, des teintes trop éclatantes ou trop foncées attirent le regard vers la mâchoire, qui est la partie masculine du visage. Ce truc permet de moins remarquer la peau flasque de la mâchoire, et vous serez étonnée de constater le nouvel éclat de votre teint !

- Pour les peaux plus sèches, ou lorsque le teint est inégal ou parsemé de taches brunes, une poudre minérale libre peut aider à camoufler les imperfections. Les minéraux couvrent bien tout en reflétant la lumière et en donnant une apparence plus fraîche.

- *Less is more* (moins, c'est mieux). N'essayez pas de camoufler les ridules et les rides en étalant trop de fond de teint, car cela aurait l'effet inverse et les ferait ressortir.

- N'essayez pas non plus de camoufler chaque tache de vieillesse. Non seulement il vous faudra beaucoup de fond de teint, mais vous ne réussirez qu'à rendre la texture de votre peau complètement superficielle. Il vaut mieux appliquer votre fond de teint, ou un hydratant teinté, pour uniformiser et rendre les imperfections moins apparentes.

- N'utilisez pas un miroir grossissant pour vous maquiller. Personne ne vous regardera s'aussi près, et vous n'avez donc pas à le faire. Autrement, vous apercevrez toutes vos petites imperfections et tenterez de camoufler ce que vous seule voyez, et vous mettrez trop de maquillage, attirant ainsi l'attention sur les ridules, les rides et les décolorations.

- Exfoliez régulièrement votre peau afin de la lisser. Elle reflétera mieux la lumière, donnant plus d'éclat à votre teint. Le maquillage s'appliquera plus facilement et atténuera plus aisément les ridules.

Comment éviter que mon rouge à lèvres ne file ?

- D'abord, il faut essayer d'éliminer ou de réduire les ridules sur les lèvres et leur contour, puisque c'est l'origine du problème. Utilisez donc une crème pour les lèvres ou un produit contre les rides qui renferme des ingrédients comme de l'alphahydroxyacide ou de l'acide glycolique. Ce sont des exfoliants. Par conséquent, non seulement vous ralentirez le processus de vieillissement, mais grâce aux nouvelles technologies, vous pourrez même l'inverser.

- Dessinez le contour des lèvres avant d'appliquer le rouge. La consistance cireuse du crayon contribue à empêcher le rouge à lèvres de filer.

- Mettez un peu de fond de teint sur les doigts et tapotez légèrement vos lèvres. Cela comble les plis autour de la bouche et empêche le rouge à lèvres de s'échapper.

Quelques conseils pour trouver la bonne couleur de fond de teint ?

- La quantité de mélanine ou de pigment de la peau change avec l'âge, il en va donc de même du teint. Cela signifie que vous ne pouvez pas porter à 40 ans la couleur de fond de teint que vous portiez à 20 ans.

- Lorsque vous cherchez un fond de teint, essayez de trouver la couleur qui se rapproche le plus de celle de la partie inférieure de la mâchoire ou du sternum. La plupart des femmes choisissent une teinte trop pâle, alors qu'en faisant correspondre la couleur à celle de ces deux régions, la nuance sera plus en accord avec celle de leur teint naturel.

- La plupart des femmes choisissent un fond de teint trop pâle. Ne craignez donc pas d'essayer une nuance un peu plus prononcée.

- La meilleure lumière pour examiner un fond de teint est celle qui vient directement sur vous et pas celle qui provient d'un éclairage au-dessus de vous. Si vous êtes dans un magasin et que vous ne trouvez pas la lumière qui convient, allez vers une fenêtre ou sortez à l'extérieur pour examiner la couleur dans une lumière naturelle.

- Le fond de teint ne doit jamais altérer ni ajouter de la couleur à votre peau. C'est le rôle du fard à joues et des produits bronzants. Il ne devrait qu'uniformiser la teinte naturelle de votre peau.

- Si vous achetez une teinte légèrement trop foncée, vous pouvez l'éclaircir en y ajoutant un peu d'hydratant.

Existe-t-il des trucs de maquillage pour faire paraître mes lèvres plus pulpeuses ?

- Après avoir appliqué votre rouge à lèvres, mettez un peu de crayon à lèvres aux commissures et étalez vers l'intérieur.
- Déposez une toute petite quantité de fard à paupières blanc perle, blanc pâle ou doré pâle sur le contour de la lèvre supérieure (l'arc) avant d'étaler le rouge à lèvres. Cela attire la lumière et donne l'impression de gonfler les lèvres. Pour l'appliquer, posez le doigt très légèrement sur le fard à paupières, placez vos lèvres comme si vous vouliez donner un baiser, puis passez le doigt sur le contour supérieur de l'arc en dépassant un peu, mais pas trop. Vous pouvez également utiliser une touche d'un brillant à lèvres superblanc perlé plutôt que du fard à paupières.
- Ensuite, à l'aide d'un crayon pour les lèvres de même couleur que vos lèvres, ou s'en rapprochant, tracez une ligne d'à peine plus d'un centimètre, en plein centre, sous la lèvre inférieure.
- Pour résoudre le problème des lèvres trop fines, la plupart des femmes croient devoir appliquer plus de crayon ou de rouge à lèvres, mais c'est comme si elles disaient à tout le monde : « Regardez comme ma bouche est petite ! » Les couleurs foncées font aussi paraître les lèvres plus minces. Il vaut mieux trouver un rouge à lèvres beige ou d'un ton neutre pour donner de l'épaisseur.
- Déposer une touche de brillant à lèvres au milieu des lèvres peut les faire paraître un peu plus pulpeuses.

Comment faire tenir mon rouge à lèvres plus longtemps ?

- Évitez les rouges à lèvres trop gras ou ultrabrillants, car plus un produit est brillant, plus il a tendance à s'effacer.

- Le fini lustré ne tient pas aussi longtemps que le rouge à lèvres. Le brillant plus épais tient cependant plus longtemps que le brillant plus souple, mais la sensation collante n'est pas d'un grand confort.

- Choisissez des rouges à lèvres mats ou semi-mats. Leur formule renferme davantage de poudre, ce qui fait que leur tenue est plus durable.

- Essayez les rouges à lèvres minéraux. Les minéraux ont des propriétés qui leur permettent de bien se lier à la peau, ce qui augmente souvent leur durabilité.

- Avant d'appliquer le rouge, étalez un tout petit peu de fond de teint sur les lèvres. Vous aurez ainsi une base qui retiendra la couleur. Partez des commissures des lèvres en allant vers le centre.

- La consistance cireuse d'un crayon à lèvres contribue également à faire tenir le rouge à lèvres. Il faut le choisir soit de la couleur des lèvres soit de celle du rouge que vous allez appliquer. Mais ne dessinez pas tout le pourtour. Partez plutôt des coins et étalez vers l'intérieur de manière que la couleur s'estompe au centre.

J'ai toujours les lèvres gercées et cela nuit à l'apparence de mon rouge. Que puis-je faire pour mes lèvres sèches ?

Voici quelques moyens pour lisser vos lèvres :

- Pour remédier à la sécheresse : les lèvres fermées, esquissez un sourire pour tendre la peau. Frottez ensuite doucement avec une débarbouillette tiède en petits mouvements circulaires. Cela enlèvera 90 % de la peau sèche et votre rouge à lèvres tiendra plus longtemps, et de manière uniforme. Vous ne vous retrouverez pas avec un cerne autour de la bouche à la fin de la journée.

- Pour conserver des lèvres lisses : chaque matin, après vous être brossé les dents, fermez la bouche et brossez délicatement vos lèvres également.

- Pour éviter la sécheresse : utilisez une crème pour les lèvres qui contient de l'alphahydroxyacide ou de l'acide glycolique. Comme je l'ai déjà dit, ces produits nourrissent la peau et exfolient (ils ont donc un effet antisécheresse et ils réparent les ridules). Avec l'âge, leur rôle devient essentiel.

J'ai les cheveux teints. Dois-je teindre mes sourcils également ?

Cela dépend. En règle générale, la couleur des sourcils ne devrait jamais être la même que celle des cheveux, mais plutôt deux ou trois tons plus clair. Pour trouver la couleur qui convient à vos sourcils, servez-vous de la mèche la plus claire de vos cheveux. Par exemple, si vous teignez vos cheveux blond cendré, des sourcils blond miel d'une nuance plus claire feraient bon effet.

Que puis-je faire pour cacher mes cernes ?

Il y a deux sortes de cernes : les creux et les poches. La façon de les camoufler est différente pour les uns et les autres.

Problème : cernes creux

- Appliquez un peu de crème pour les yeux et laissez la peau l'absorber. Cela empêchera l'anticernes d'avoir l'air sec.

- L'une des erreurs les plus courantes consiste à appliquer un anticernes trop pâle. Comme les cernes sont souvent bleu gris, une teinte trop claire les fera paraître encore plus gris. Il vaut mieux choisir une couleur un demi-ton plus pâle que celle de votre teint. Si les cernes sont très foncés, choisissez un anticernes un demi-ton plus clair que la teinte de votre peau, mais avec une nuance pêche, car cette couleur corrige bien.

- Posez un pinceau plat en acrylique de la taille de votre auriculaire dans le croissant de l'œil, là où le nez rejoint le cerne. Posez-le très précisément le long de la ligne de démarcation et étalez l'anticernes en tapotant, uniquement sur la partie sombre. N'essuyez pas et ne brossez pas, sans quoi vous enlèveriez le produit tout juste posé. Tapotez très légèrement jusqu'à ce que le produit s'estompe dans le cerne. Si vous avez acquis une certaine adresse en maquillage, vous pouvez vous servir du côté extérieur de votre auriculaire plutôt que du pinceau.

- Ne recouvrez pas toute la région sous l'œil. C'est une autre erreur très répandue. En général, la région n'est pas complètement assombrie par le cerne, et le résultat ne serait pas naturel. Évitez par ailleurs de trop vous approcher de la paupière inférieure, car cette partie est légèrement gonflée chez la plupart des gens et l'anticernes la ferait paraître plus boursouflée.

- Du crayon foncé ou du mascara sur les cils inférieurs tend à attirer l'attention sur vos cernes. Ne mettez rien et concentrez-vous plutôt sur le maquillage de la paupière supérieure. Par exemple, recourbez les cils supérieurs. Cela agrandit le regard (évitant aussi que le mascara ne tombe sous les yeux).

- Pour donner de l'éclat à la région de l'œil et avoir l'air plus alerte, mettez un peu de fard avec des reflets irisés, comme un ton argenté ou perlé, ou employez un crayon correcteur dans le V intérieur de la région de l'œil près du nez. Ajouter un peu de lumière dans ce creux donne un véritable coup d'éclat.

Problème : poches sous les yeux

- Il vaut mieux éviter de trop maquiller pour résoudre ce genre de problème, car cela accentuerait les poches. Le principe consiste donc à ne pas insister.

- Plutôt que d'appliquer un anticernes, utilisez simplement un voile léger de fond de teint. Restez simple et compensez en rehaussant plutôt d'autres régions du visage qui vous permettront de vous sentir mieux.

Au lieu de tenter de camoufler les poches, il s'agit de trouver pourquoi vous en souffrez et de suivre les conseils suivants pour les éviter ainsi que les cernes.

- Quoique les cernes et les yeux bouffis puissent avoir une origine génétique, et avoir tendance à empirer avec l'âge, ils sont parfois le résultat d'un manque de sommeil. La notion de sommeil réparateur n'est pas un mythe; essayez de dormir au moins huit heures (cela vous aidera beaucoup plus que toute autre chose).

- Lorsque la peau sous les yeux devient plus fine avec l'âge, elle laisse apparaître de petites veines bleues qui donnent une apparence plus sombre à cette région. Les crèmes pour les yeux qui renferment des ingrédients qui épaississent la peau et favorisent la production de collagène, comme les rétinoïdes, les peptides et l'acide hyaluronique, peuvent avoir un rôle utile.

- Certaines personnes voient apparaître des taches sous leurs yeux à la suite d'expositions au soleil. Si c'est votre cas, assurez-vous d'utiliser une crème pour les yeux qui contient de l'écran solaire (un écran solaire ordinaire risque d'être trop agressif pour la peau délicate et sensible autour de l'œil).

- Les cernes ou les poches peuvent signaler une allergie. Parlez-en à votre médecin si vous pensez en souffrir.

- Ne vous frottez pas les yeux. Cela peut dilater les vaisseaux, assombrir cette région et abîmer la peau délicate près de l'œil.

- Limitez votre consommation d'alcool, car cela déshydrate la peau. Les rides se remarquent davantage et même les vaisseaux sanguins deviennent alors plus apparents.

- Dormez sur le dos, la tête légèrement surélevée sur des oreillers afin d'empêcher les fluides de stagner autour des yeux.

- Dégonflez le pourtour des yeux en appliquant des sachets de thé infusés dans de l'eau bouillante, puis réfrigérés pendant vingt minutes. Gardez-les 10 minutes. Le tanin du thé contribue à atténuer l'enflure, et tout ce qui est froid réduit le gonflement en contractant les vaisseaux sanguins. Pour cette même raison, des tranches de concombre froides ou une débarbouillette ayant été placée au congélateur pendant quelques minutes peuvent également aider.

- Un autre truc consiste à utiliser des compresses Tucks^{MD} contre les hémorroïdes. Conservez-les au frigo et, au besoin, prenez l'une de ces compresses circulaires, pliez-la en deux et posez-la *sous* l'oeil durant 10 minutes (elles adhèrent à la peau). L'hamamélis qu'elles renferment est un astringent qui contribue à désenfler la région délicate de l'œil.

- Diminuez votre consommation de sel, car cela cause de la rétention d'eau, surtout au moment des menstruations. Optez pour le sel de mer. Assurez-vous par ailleurs de boire au moins huit verres d'eau par jour, car cela aide à réduire la rétention d'eau.

Dois-je dépenser beaucoup pour me procurer des produits de maquillage de haute qualité ?

Il fut un temps où les produits vendus dans les grands magasins et les cosmétiques haut de gamme étaient nettement supérieurs à ceux offerts en pharmacie et dans les grandes surfaces. Mais ce n'est plus le cas aujourd'hui. De fait, les produits proposés en pharmacie et les produits bon marché sont meilleurs que jamais, et il ne faut pas hésiter à parcourir les allées de votre grande surface préférée. Vous serez surprise d'y trouver des marques de très bonne qualité, pas vraiment bon marché, mais certainement plus abordables que les produits haut de gamme (souvent parce vous ne payez pas pour le marketing et l'emballage). L'autre bon point, c'est que les marques à large diffusion font de plus en plus d'efforts pour que la couleur sur le flacon corresponde bien à celle que vous obtenez sur la peau. Grâce à cela et à d'autres progrès technologiques, vous pouvez maintenant acheter des produits de beauté de grande qualité à très bon prix.

Que dois-je faire lorsque j'ai un gros bouton ?

Malgré ce que croient bien des gens, camoufler un bouton est en fait assez simple. Vous devez d'abord vous rappeler une règle de base : ne jamais pincer un bouton à moins d'être absolument sûre qu'il est mûr. Et même dans ce cas, faites-le après une douche chaude (la vapeur ouvre les pores) et allez-y délicatement. Prenez deux cure-oreilles ou vos doigts recouverts d'un papier mouchoir et pressez doucement de chaque côté. S'il ne s'ouvre pas tout de suite, n'insistez pas. Vous risqueriez d'empirer les choses et de le faire grossir encore, de provoquer une cicatrice ou de l'infection. La plupart des gros boutons résultent de notre comportement. Si on n'y touche pas, la plupart des boutons disparaissent tout seuls. Cela dit, il faut parfois les camoufler et voici donc quelques conseils :

- Procurez-vous un correcteur différent pour les boutons. Assurez-vous que sa formule soit plus sèche, car il adhérera à la peau plus longtemps. (La plupart des produits correcteurs présentés en pot sont généralement plus secs ; les correcteurs liquides en bâton ne tiennent pas assez longtemps et ne couvrent pas suffisamment.) Un grand favori aux effets « magiques » est le Secret Camouflage de Laura Mercier, qui est sec et se présente en deux teintes à mélanger.

- Il est important d'utiliser un pinceau pour appliquer le correcteur. Ainsi, vous ne camouflerez que le bouton, alors qu'avec les doigts, on a tendance à couvrir une trop grande surface .

- Rappelez-vous que moins vaut mieux que trop (*less is more — moins, c'est mieux*). Couvrez bien le bouton, mais sans exagérer.

Mes cils sont plus fins qu'avant. Quelques conseils relatifs au mascara?

Il y a divers moyens d'épaissir les cils qui ont perdu de leur longueur et de leur densité.

- Il existe aujourd'hui des mascaras étonnants qui augmentent incroyablement la longueur et l'épaisseur des cils. Promenez-vous dans les allées où l'on présente les mascaras, et essayez certains de ces nouveaux produits.

- Si vous avez déjà essayé et que vous n'êtes toujours pas satisfaite, un peu de traceur peut mettre en valeur des cils fins. Une fine ligne de traceur d'un gris charbon poudré, appliquée à la racine des cils, créera un effet cendré qui, lorsque le mascara sera appliqué, contribuera à faire paraître épais les cils fins.

- Si cela ne fonctionne pas, appliquez une couche de mascara, puis mettez un peu de poudre libre sur les cils (en dessous des cils seulement) avant d'appliquer une seconde couche de mascara. Cela donnera du tonus et de l'épaisseur à vos cils.

- Enfin, si vous voulez faire une folie, il existe des produits pour nourrir les cils et encourager leur croissance. Quoique assez chers, ils sont parfois très efficaces.

Des trucs de maquillage pour faire paraître les dents plus blanches?

Des dents blanches sont nettement un signe de jeunesse. Par conséquent, un sourire éclatant est un bon moyen d'avoir l'air plus jeune. Les dents jaunissent et deviennent plus foncées avec le temps, car les aliments et les boissons ainsi que les petits fruits, la sauce soya, le vin rouge, le café et le thé les tachent. De plus, avec l'âge, la fine couche d'émail s'use et la couche plus sombre du dessous fait surface.

Il est prouvé que les couleurs de rouge à lèvres à base de bleu peuvent faire paraître les dents plus blanches, alors que les couleurs à base de jaune ou d'orange font ressortir le jaune des dents. Cela dit, si vous cherchez à faire paraître vos dents plus blanches grâce à un rouge à lèvres, le moment est peut-être venu de les blanchir. Il existe différents systèmes de blanchiment efficaces à des prix divers, pouvant donc convenir à tous les budgets. Parmi ceux-ci, il y a des bandes blanches en fin plastique recouvert d'un agent éclaircissant, ou des trousses de blanchiment que l'on trouve en pharmacie. Vous pouvez aussi vous informer auprès de votre dentiste sur les produits de blanchiment et les procédés proposés en cabinet.

8

Le bien-être et la mode

« Puis-je t'emprunter ce blazer ? m'a murmuré Lorie, qui était alors dans ma classe de neuvième année. Pour samedi. »

« Celui-ci ? ai-je demandé en regardant ma veste faite main. Tu es sérieuse ? »

« Oui. En échange, tu pourras porter n'importe lequel de mes vêtements. »

« D'accord », ai-je répondu en haussant les épaules.

Lorie a souri, mais moi, j'étais tellement gênée que j'aurais voulu me cacher sous le pupitre. Nous avions toutes les deux prévu une sortie au match de football, le week-end suivant, et j'étais convaincue que Lorie avait pitié de moi. Elle savait que ma mère cousait tous mes vêtements et elle en était désolée.

En effet, je me suis demandé pourquoi une fille possédant des vêtements achetés dans les magasins voudrait porter une veste faite de coupons ? La réponse était que cette veste était superbe et unique, mais je ne le réalisais pas à l'époque.

Mis à part nos sous-vêtements et nos chaussettes, ma mère cousait tous les vêtements de mon frère, de mes sœurs et les miens (elle fabriquait même les habits de ma poupée Barbie, leur ajoutant aussi des boutons). Le budget étant plutôt serré, nous ne choisissions pas nous-mêmes le tissu. Ma mère allait plutôt fouiller dans les retailles du magasin de tissu pour acheter les plus beaux coupons qu'elle pouvait trouver. Elle s'assoyait devant sa machine à coudre, dans un coin de sa chambre, jusqu'aux petites heures de la nuit. Elle était très douée, et il lui suffisait de feuilleter les magazines pour savoir ce qui était à la mode pour ensuite réaliser ses propres patrons. Un jour, elle m'a fabriqué une robe bustier pour un bal, à partir de morceaux de tissu rose vif et mauve. (J'aurais tellement aimé pouvoir acheter une robe en magasin que je n'ai pas su en apprécier toute la beauté ; bien entendu, je voudrais avoir encore cette robe aujourd'hui.) Une autre fois, elle a confectionné pour mon père un superbe costume, qui n'aurait pas son pareil dans les magasins, de nos jours. Mais quand j'étais enfant, et même adolescente, je ne remarquais pas les détails, ni le magnifique travail qu'elle réalisait. À mes yeux, ma garde-robe faite main n'était rien d'autre qu'un signe de pauvreté.

Aujourd'hui, je constate l'influence de ma mère dans les vêtements que je choisis et je crois que c'est pourquoi je peux facilement repérer ce qui me va le mieux. En effet, mes vêtements confectionnés sur mesure m'ont permis de bien saisir comment ils doivent être ajustés. Par exemple, je sais qu'il vaut mieux que mes pantalons et mes jeans aient des jambes droites plutôt qu'amples, et, s'ils sont évasés, ce ne peut être que légèrement. Les vestes courtes à un seul bouton sont plus flatteuses pour moi, car je suis petite (autrement, j'ai l'air de porter un vêtement appartenant à Phillip). J'ai par ailleurs plus d'allure lorsque mon chemisier est à l'intérieur de ma jupe ou de mon pantalon que lorsqu'il est porté à l'extérieur.

Comme je sais ce qui me plaît ou pas, je préfère choisir moi-même mes vêtements pour l'émission plutôt que d'en laisser le soin aux stylistes. Je leur fais entièrement confiance, mais j'ai une idée très précise de ce qui me va, et je veux décider moi-même de ce que je vais porter. La veille d'un enregistrement, je reste auprès de Phillip pendant qu'il se prépare. Puis, environ 30 minutes avant d'aller au lit, je monte à ma chambre afin de décider ce que je porterai pour l'émission. (À part quelques articles en prévision d'un changement d'urgence, je ne conserve pas mes vêtements au studio.) Lorsque j'ai choisi ma tenue, je range tout, depuis les chaussures jusqu'aux bijoux, dans une petite valise à roulettes. Après ma douche le lendemain matin, j'enfile un survêtement et des bottillons, pose ma valise dans la voiture et je me rends au studio. Je me dirige alors vers ma salle d'habillage. Si quelque chose est froissé, j'utilise la vapeur d'un fer vapeur, puis je me prépare.

C'est assez simple, mais cela n'a pas toujours été le cas. Quand nous avons déménagé de Dallas en Californie, il y a six ans, je n'étais pas si sûre de ce que je devais porter devant la caméra. Même si la mode m'avait toujours intéressée et que je connaissais bien mes préférences en matière de vêtements, la télé m'intimidait un peu. Après tout, je passais du statut de maman qui court les matchs de soccer, prépare les boîtes à lunch, applaudit aux parties et fait du covoiturage d'enfants, à celui de personne devant faire face à des millions de téléspectateurs. Je m'attendais à ce qu'on me dise quoi porter, mais comme personne ne l'a fait, j'ai pensé que je devais sans doute porter des tailleurs, alternant pantalon et jupe. Par conséquent, durant la plus grande partie des deux premières saisons de l'émission, j'ai porté des tailleurs jolis, mais simples, dans des teintes de brun, noir ou gris, avec parfois une touche de couleur. Puis, un soir, alors que je préparais ma tenue du lendemain, j'ai constaté que j'avais encore prévu un tailleur brun et, malgré sa belle coupe, je me suis dit : « C'est ridicule. Ça ne me ressemble pas. En réalité, je porte un jean tous les jours. » J'ai donc rangé mon tailleur et sorti mon jean à jambes étroites préféré, des bottillons en cuir noir et un joli haut. Je n'étais pas sûre de la réaction sur le plateau ni de celle des téléspectateurs, mais je savais que je devais porter des vêtements dans lesquels je me sentais plus à l'aise, et qui correspondaient davantage à ma personnalité.

Avec le recul, je ne sais pas d'où m'était venue l'idée que le tailleur-pantalon représentait la tenue appropriée pour l'épouse de l'animateur d'une émission d'infovariétés, mais je suis contente d'être revenue à la raison. Il ne faut jamais tenir compte de l'opinion des autres pour s'habiller, mais plutôt porter ce qui nous convient et qui définit notre personnalité. Par exemple, j'adore le noir depuis toujours. Lorsque j'ai mis de côté les tailleurs-pantalons et choisi de porter du noir, certains téléspectateurs ont fait des commentaires sur ma tenue. (Oui, je lis les observations reçues.) Certains aimaient beaucoup tandis que d'autres étaient d'avis que je portais trop de noir. On soupçonnait parfois que j'adopte le noir parce que la caméra tend à grossir. (Ce n'est pas la raison principale, mais tant mieux si je parais plus mince.) J'étais surprise qu'on le remarque, mais rien ne m'a étonnée davantage que le commentaire suivant : « Est-ce que Robin porte du noir parce qu'elle est gothique ? » La réponse est non. J'aime tout simplement le noir et cela a toujours été le cas. Je crois qu'il donne une apparence soignée et élégante, qu'il soit porté seul ou rehaussé de blanc ou d'une couleur vive.

À la maison, je préfère une tenue simple et sportive. Quand je rentre d'un enregistrement, j'enfile un survêtement (mes préférés sont conçus par Juicy Couture) ou un pantalon d'intérieur à cordon avec un pull ajusté (j'adore ceux fabriqués par Izod). Je porte également les chaussettes de jogging de Phillip depuis au moins 20 ans et il trouve cela mignon. J'ai toujours préféré les tenues décontractées, même quand nous habitions à Dallas, longtemps avant de déménager à Los Angeles. À l'époque, j'étais comme la plupart des mamans au foyer qui offrent leurs services bénévoles à l'école, assurent le covoiturage, vont conduire les enfants à leurs entraînements sportifs et autres activités, et assistent aux matchs en plus de veiller à l'organisation de la maison. Je jouais également au tennis ou poursuivais mon entraînement, et je portais donc des tenues de tennis ou d'exercice presque tout le temps. Je veillais quand même à ce que ces vêtements soient beaux et flatteurs et non pas exagérément amples ou d'allure négligée. Je crois que c'est une importante distinction à faire. Je reçois de nombreux courriels de femmes qui disent passer toutes leurs journées en survêtement puisqu'elles ne travaillent pas à l'extérieur. Ces femmes ajoutent souvent qu'elles détestent leur allure, qu'elles ne se sentent pas élégantes ou qu'elles voudraient l'être davantage, mais ne savent pas comment s'y prendre. Je pense qu'il est important d'être à son aise, surtout quand on passe la journée à courir derrière de jeunes enfants, qu'on est très occupée ou qu'on travaille de longues heures, mais il n'est pas nécessaire de porter le vieux survêtement de votre mari pour autant. Achetez-vous plutôt un survêtement élégant et coordonné ou un caleçon de yoga assorti à une veste. Il suffit ensuite de porter un tee-shirt blanc en dessous, et vous voilà élégante. Un gros survêtement bouffant coûte aussi cher qu'un ensemble plus ajusté et plus flatteur, et il est possible d'en trouver à prix abordable dans les grandes surfaces.

L'autre problème de ces survêtements amples, de type ancien, dépasse votre simple apparence. Ce genre de tenue affecte votre estime personnelle et votre état d'esprit. Je me rappelle ce sentiment au moment de la naissance de Jay. J'étais si occupée que j'avais à peine le temps de me brosser les dents ou d'aller aux toilettes, et que je trouvais même difficilement le temps de quitter mes pyjamas. J'ai vécu ainsi pendant quelques semaines avant de réaliser que le simple fait d'enfiler un pantalon et un chemisier propre ou même de changer de pyjama me mettait de bonne humeur. Nul besoin de faire de grands frais de coiffure et de maquillage, mais le simple fait de revêtir quelque chose d'agréable peut faire des merveilles pour la confiance en soi et un bon état d'esprit. Cela vous rappelle, une fois encore, que vous occupez une place prioritaire, et cela donne le ton pour la journée.

Le jean est aussi un choix confortable et un vêtement que j'adore. Je pense que toutes les femmes devraient posséder au moins un bon jean bien coupé. Vous pouvez le porter avec des chaussures plates durant le jour ou lui donner un petit air plus habillé avec des talons, le soir. J'ai porté des jeans toute ma vie et je les aime sous toutes leurs formes. Il y a des années, le choix se limitait surtout à Levi's et Lee, mais aujourd'hui, la gamme est beaucoup plus vaste. Il en existe tellement, qu'il est impossible de ne pas trouver un jean qui vous aille et convienne à votre budget. Bien entendu, l'inconvénient consiste à chercher, et je vous suggère donc d'y consacrer une journée ou un après-midi. Ma marque préférée est Paige. Ce sont des jeans assez chers, environ 145 $, mais ils me donnent l'air d'être plus mince et plus grande (c'est inestimable !) et ils s'ajustent mieux à la taille que la plupart des autres marques. Je n'exagère pas en vous disant que j'ai essayé au moins 50 paires de jeans avant de trouver celle qui me va le mieux. Voilà pourquoi je vous suggère d'aller dans un magasin qui propose une grande variété de styles, d'en apporter une grosse pile dans la salle d'essayage et de vous mettre à la tâche, car chacun est différent. Il est étonnant de constater qu'une coupe peut me donner l'impression d'avoir six kilos en trop, tandis qu'une autre fait l'effet contraire. (Allez-y seule si la présence d'une amie vous bouscule, car l'activité prend beaucoup de temps.)

Un autre point important : la taille ne veut rien dire, car elle varie suivant les fabricants, et parfois selon la coupe. Par exemple, dans une de mes marques favorites, je porte du 29, alors que dans une autre, il me faut du 27. Je sais que des femmes refusent d'acheter des vêtements qui ne sont pas d'une certaine taille ou inférieure, mais comme je l'ai dit auparavant, les chiffres n'ont pas d'importance. Tant pis si la taille est plus grande, dans la mesure où le vêtement me va bien. Je vous suggère également d'essayer des modèles qui ne vous attirent pas au départ. Je l'ai fait quelquefois et j'ai été surprise d'adorer mon allure. Je conviens que de trouver le bon jean est une tâche laborieuse, car il faut absolument faire de nombreux essayages plutôt que de se contenter d'observer ce que porte une amie, les photos dans les magazines ou l'apparence d'un jean sur le cintre. Mais une fois que vous aurez trouvé le modèle qui vous va, vous verrez que le jeu en valait la chandelle.

Je sais que mon amour du denim va peut-être à l'encontre d'une règle selon laquelle une femme ne devrait plus porter de jeans après un certain âge. Je n'ai nullement l'intention de suivre cette règle, en ce qui me concerne. Je prévois continuer à en porter à 60, 70 ans et même après. Il reste qu'aux environs de la cinquantaine, je me suis demandé si je n'allais pas adhérer à certains préceptes devant s'appliquer aux femmes plus âgées. Par exemple, j'avais décidé que j'étais trop âgée pour porter des shorts. Mes jambes sont fermes, mais pas autant qu'avant, et ma peau est un peu fripée. Pendant cinq étés, j'ai banni les shorts jusqu'à ce qu'un jour je me dise : « On s'en fiche ! Mes jambes sont comme elles sont et tant pis si elles ne sont pas parfaites. » Je m'entraîne assez durement en salle de gym pour comprendre qu'elles ne seront jamais mieux que maintenant. Alors, autant les montrer.

À la manière de Robin

Je suis souvent très consciente de la pâleur de ma peau quand je porte un haut ou une robe sans manches, mais j'ai découvert un produit qui uniformise le teint sans avoir l'air épais ou trop marqué. Il s'agit de DiorSkin AirFlash Spray Foundation, brume de teint éclat et légèreté. Il est conçu pour le haut du corps, mais rien n'empêche de l'utiliser sur les jambes au besoin.

J'ai réalisé que je dois accepter le fait que mon corps va continuer de vieillir jour après jour, que ça me plaise ou non (et que je porte des shorts ou pas), il n'y a donc aucune raison de laisser à mon corps le pouvoir d'établir des règles. Ce qui s'était déjà produit pour les maillots de bain. Comme je ne m'expose jamais au soleil à cause de ma peau sensible et que je nage rarement, je n'avais plus porté de maillot depuis au moins 10 ans. Je n'en possédais d'ailleurs qu'un seul, caché au fond d'un tiroir. Mais en juillet dernier, pour nos vacances familiales en Europe, je me suis dit : « Pourquoi ne pas porter de maillot de bain?» Je suis aussi en forme qu'il m'est possible de l'être. J'ai par ailleurs entendu dire que les femmes de mon âge devraient porter leurs jupes sous le genou. Encore une règle. Je considère que, quel que soit mon âge, une jupe sous le genou fera paraître mes jambes lourdes et épaisses. Ce n'est pas pour autant que vous me verrez en minijupe, mais je porte robes et jupes quelques centimètres au-dessus du genou, car cela allonge ma silhouette.

Comme vous le constatez, j'adore la mode et les vêtements (mais je déteste faire des courses, allez savoir!). Mais je reçois de nombreux courriels de téléspectatrices qui ne savent pas trop comment s'habiller, ou qui se croient trop vieilles pour avoir fière allure. Allons donc! Vous pouvez avoir l'air branchée et moderne quel que soit votre âge. Je ne dis pas de vous habiller comme une adolescente ou une femme qui aurait 20 ou 30 ans de moins que vous, mais il n'est pas nécessaire d'avoir l'air démodée parce que vous êtes plus âgée. Je reçois aussi des courriels de femmes qui disent qu'elles s'habillent seulement pour une sortie ou qui ne méritent pas de beaux vêtements parce qu'elles ne travaillent pas à l'extérieur. Je ne suis pas d'accord. Peu importe vos activités quotidiennes, que ce soit à la maison ou ailleurs, vous méritez de vous sentir bien dans vos vêtements et d'aimer votre allure. Je ne suis pas une spécialiste de la mode, mais j'ai tout de même appris certaines choses utiles, au fil des ans.

Vous ne pouvez pas vous tromper en choisissant des vêtements classiques. J'ai toujours été du genre classique, plutôt qu'une personne suivant les tendances du moment. Parmi mes vêtements préférés, mis à part les jeans, on compte les cols roulés sans manches, les chemisiers blancs, les bottillons en cuir fin et les blazers simples et bien ajustés. Une tenue impeccable et passe-partout serait, pour moi, un chemisier blanc sur un jean. (À mes yeux, une belle paire de chaussures à talons hauts ajoute une excellente touche finale.) C'est la tenue que je porte sur la couverture d'un de mes livres, mais ce n'était pas prévu ainsi. J'avais passé toute la journée à être photographiée dans au moins cinq tenues différentes. À la fin de la séance, j'ai enfilé mon jean et mon chemisier blanc pour rentrer chez moi et le photographe m'a demandé de faire une photo dans cette tenue. J'ai accepté, me suis installée devant un fond blanc et, croyez-le ou non, c'était la meilleure !

Ne suivez pas la mode aveuglément. J'aime que mes vêtements soient dans l'air du temps, mais je n'achèterais jamais un article uniquement parce qu'on le voit dans les magazines. Je ris toujours lorsque je lis ces articles qui font la liste des vêtements « in » et « out », parce que, inévitablement, le vêtement que j'aime arrive en tête de la liste « out » (souvent pour revenir dans la liste « in » l'année suivante). Plutôt que de suivre des listes établies par quelqu'un d'autre, je choisis mes vêtements en fonction de ce qui me va. Récemment, par exemple, les jeans très larges étaient en vogue. Ils ont l'air très bien dans les magazines, mais je sais que, sur moi, ils donneraient l'impression d'ajouter des kilos. Les bermudas sont une autre mode que je n'ai pas suivie. Comme je connais bien ma silhouette, je n'ai même pas eu besoin d'en essayer pour savoir qu'ils n'auraient rien de flatteur sur moi. À d'autres moments, je vois un article tendance qui semble très bien dans les magazines, et j'y mets mon grain de sel pour que ça m'aille aussi. Récemment, les écharpes faisaient fureur et j'aimais beaucoup leur allure décontractée et élégante à la fois, sur les photos des magazines. Mais quand j'ai essayé celle qu'une célébrité portait si magnifiquement, j'avais l'air d'avoir enroulé un édredon autour de mon cou. Je me suis rendu compte qu'il me fallait une écharpe plus courte et plus étroite.

Le conseil de Robin. Quoique les grands sacs soient à la mode, ils ne sont pas toujours idéals pour la santé. Nous avons tendance à les remplir et ils deviennent trop lourds, ce qui cause des douleurs au dos, au cou et aux épaules. Évitez le problème en n'y mettant que l'essentiel et en alternant d'épaule ou de main régulièrement.

Vérifiez aussi les sacs à dos de vos enfants pour vous assurer qu'ils ne soient pas trop chargés. Des études montrent que 19 % des enfants manquent au moins un jour d'école ou d'activités à cause de maux de dos dus à la lourdeur de leur sac. Ce sont les filles de 11 à 16 ans qui sont les plus à risque. Plus de 7 000 enfants ont subi des blessures en 2007 à cause de sacs à dos trop lourds, dont certains pesaient jusqu'à 25 kilos, d'après la U.S Consumer Product Safety Commission. Les spécialistes recommandent qu'un sac à dos ne pèse pas plus de 10 à 15 % du poids de l'enfant, mais le sac à dos moyen a un poids correspondant à 20 %[1].

Le confort est essentiel. Quoi que vous portiez, allez au-delà des apparences. Songez plutôt aux activités que vous exercerez dans la tenue que vous essayez. J'aurais aimé avoir eu ce conseil avant la première soirée «tapis rouge» à laquelle j'ai été conviée il y a presque sept ans. C'était à l'occasion des Emmy Awards, et je portais une magnifique robe verte faite sur mesure. Elle était parfaite quand j'étais debout, mais je n'avais pas songé à l'inconfort du corsage après des heures passées assise. Une autre fois, nous avions été invités à un bal de charité, et je portais une superbe robe noire de couturier. Malencontreusement, ma poitrine débordait d'une façon beaucoup trop évidente, et j'ai passé la soirée à remonter ma robe en me sentant embarrassée. Je n'arrivais pas à croire que je portais cette tenue très chère tout en me répétant constamment : «Je déteste cette robe!» C'était très désagréable. La plupart d'entre nous ont connu ce genre d'expérience. Malheureusement, je revois souvent ces photos, car, pour quelque raison, lorsque les tabloïds racontent des histoires selon lesquelles Phillip et moi serions sur le point de divorcer, ce sont des photos de ce genre qui accompagnent les textes. (Parfois, les photos me dérangent davantage que le mensonge sur l'échec de notre mariage!)

Le conseil de Robin. Une productrice me disait récemment que ses amies et elle organisaient des soirées d'échange de vêtements. Je ne l'ai jamais fait, mais je trouve l'idée lumineuse. La réunion a lieu chez l'une d'elles, et chacune apporte des vêtements en bon état, mais dont elle ne veut plus, et fait des échanges avec ses amies. Nous achetons toutes, un jour ou l'autre, un vêtement dont on raffole dans le magasin, mais qu'on n'aime plus, une fois à la maison. Voilà un excellent moyen de rattraper une erreur, tout en ayant du plaisir.

Il n'est pas nécessaire de dépenser une fortune pour avoir l'air superbe. Bien que j'adore les vêtements de grands couturiers, j'aime aussi beaucoup l'idée qu'il est aujourd'hui possible d'être élégante pour trois fois rien. Il y a de nombreux magasins qui proposent des vêtements superbes à petits prix. L'un de mes préférés est Target, car on y trouve des vêtements adorables et abordables créés par de grands couturiers. Par exemple, lorsque j'ai participé à l'émission *Rachel Ray*, toute ma tenue venait de chez Target. L'ensemble, en comptant les boucles d'oreille, la ceinture et les chaussures, n'avait coûté que 120 $. L'auditoire était renversé et moi donc! Une autre fois, j'y ai trouvé un jean à 10 $ qui m'allait aussi bien que d'autres plus chers que je possède déjà.

Le conseil de Robin. J'adore porter des talons hauts de 10 à 15 cm, mais, au bout de la journée, j'ai les pieds fatigués et douloureux. Phillip me les masse et ça fait du bien, quoique je trouve parfois qu'il y va un peu fort, et je dois lui rappeler que je suis une femme. L'effet est très agréable, mais une autre solution facile consiste à poser le pied sur une balle de tennis et à la faire rouler sous la plante du pied, assise à son bureau ou en regardant la télé. La pression exercée peut être variable, et soulage la fatigue.

Les accessoires peuvent changer instantanément une tenue ou en rafraîchir une ancienne. J'adore les accessoires comme une simple écharpe, des bijoux (mon dernier achat favori est un ensemble de bracelets à très petit prix) ou un sac à main, qui transforment véritablement l'apparence. Si je devais choisir l'accessoire pour lequel j'ai un faible, j'opterais pour les chaussures (quoique les sacs à main n'arrivent pas loin derrière). Peut-être est-ce dû au fait que, petite, je n'avais que deux paires de chaussures, des brunes et des noires, mais toujours est-il que je ne peux résister. J'ai toujours préféré les talons hauts, pas seulement parce que je fais 1 m 63 et que Phillip mesure 1 m 90, mais également parce que je pense qu'ils ajoutent de l'élégance et une touche féminine à n'importe quelle tenue, sans compter qu'ils font paraître plus jeune, séduisante et grande. Les miens ont toujours au moins 10 cm, habituellement 15, et je jure que j'entends au moins une fois par jour quelqu'un me demander : « Comment faites-vous pour marcher sur des talons aussi hauts ? » Et je réponds : « Je peux même courir ». (Oui, c'est vrai !)

Choisissez vos chaussures avec soin. Il y a certaines règles à suivre pour vous assurer que vos chaussures seront aussi confortables que possible. Ne magasinez pas des chaussures le matin. Les pieds ont tendance à enfler à la fin de la journée (en raison du sang qui s'y accumule) : l'après-midi est donc le meilleur moment pour essayer des chaussures. Assurez-vous de faire mesurer vos pieds régulièrement, car un gain de poids ou la grossesse peut modifier votre pointure. (De fait, mes pieds ont grandi d'une demi-taille après chaque grossesse ! Je portais du 37 [7] avant d'être enceinte de Jay et je suis passée à 37,5 [7,5] après sa naissance, puis, après celle de Jordan, je suis passée à 38 [8]). Et, si un pied est plus gros que l'autre, ce qui est le cas chez la plupart des gens, achetez vos chaussures en tenant compte du plus gros. Par ailleurs, ne présumez pas que les chaussures vous vont avant de les avoir essayées (les pointures varient d'une marque à l'autre et même suivant le modèle), et assurez-vous de mettre les chaussettes ou le collant avec lesquels vous comptez les porter, ou même, n'hésitez pas à les essayer pieds nus. Enfin, n'achetez que des chaussures qui vous vont, même si vous avez un coup de foudre. J'ai entendu parler de femmes qui se tassaient les pieds dans des chaussures à talon aiguille trop petites, uniquement parce qu'elles les aimaient, mais je ne crois pas que ce soit une bonne idée. Cela dit, des chaussures trop grandes peuvent causer des ampoules et des durillons.

N'hésitez pas à essayer de nouvelles choses. J'adore les bottillons, mais j'ai toujours pensé que je devais porter mon pantalon par dessus. Puis, un jour, j'en ai acheté une paire qui était beaucoup trop large à la cheville. Ma belle-fille Erica m'a suppliée d'insérer mon jean à l'intérieur. J'ai répondu que j'étais trop vieille pour cela. Mais elle a tellement insisté que j'ai fini par essayer, et j'adore l'allure que cela me donne. Je préfère même cette façon de les porter, car mes jambes paraissent plus longues.

Quelques retouches peuvent faire toute la différence. J'ai rencontré de nombreux stylistes et couturiers au fil des ans, et plusieurs m'ont expliqué à quel point de simples retouches pouvaient transformer des vêtements bon marché en une tenue ayant l'air d'avoir été faite sur mesure. Faire raccourcir les manches d'une veste ou ajuster un pantalon peut modifier grandement votre apparence. Et les retouches ne coûtent pas très cher. En fait, certains magasins les offrent gratuitement lors de l'achat d'un article. N'hésitez donc pas à les demander.

Affinez votre silhouette en portant une seule couleur. Et il n'est pas nécessaire que ce soit le noir. Une tenue d'une même couleur amincit, alors, si vous portez une jupe ou un pantalon avec un haut (au lieu d'une robe), choisissez une même couleur pour les deux, et optez pour une ceinture de teinte semblable. Cela allonge le corps et vous fait paraître plus mince.

Allez sous la surface. Je veux dire : littéralement. Quand il est question de mode, vos dessous peuvent avoir un effet important sur l'apparence extérieure de votre tenue. Que vous le croyiez ou non, 70 % des femmes ne portent pas la bonne taille de soutien-gorge. C'est peut-être parce que la plupart d'entre nous déterminent la taille de leur premier soutien-gorge et s'y tiennent le reste de leur vie. Sauf que le corps change avec les années, et le gain de poids, la grossesse, l'allaitement et même, simplement, le vieillissement peuvent modifier la taille et la forme de la poitrine. La bonne nouvelle, c'est que, de nos jours, il est facile de trouver le bon soutien-gorge. Plusieurs grands magasins ont des spécialistes dans leur rayon lingerie, ou encore, ils organisent des événements, ainsi que le font certains magasins spécialisés comme Victoria's Secret. D'ailleurs, même si votre taille reste la même pendant des années, votre soutien-gorge ne pourra pas durer éternellement. Avec le temps, l'élastique s'étire, le tissu s'amincit et l'armature perd sa forme. En conséquence, votre soutien-gorge n'offre plus le même maintien et ne procure plus la silhouette qui vous avantage. De plus, un soutien-gorge mal ajusté peut causer des douleurs au dos, aux épaules et dans le cou. Si vous n'avez pas acheté de soutien-gorge depuis longtemps, vous serez surprise par les grands progrès techniques réalisés. De nos jours, il existe des soutiens-gorge qui réduisent la poitrine, l'augmentent ou s'ajustent de toutes les façons. Ils sont fabriqués dans des tissus confortables, soutenants et sans coutures.

Le conseil de Robin. Vous ne pourrez pas toujours trouver une spécialiste pour vous aider à choisir votre soutien-gorge. Voici donc quelques conseils de Bali, un fabricant de soutiens-gorge.

- Pour connaître votre taille, servez-vous d'un ruban à mesurer en l'ajustant sous les seins. Ajoutez 12 cm pour obtenir votre tour de poitrine. (Si le chiffre est impair, arrondissez.)

- Pour connaître la taille de vos seins, mesurez autour de la partie la plus bombée de la poitrine. Comparez le résultat avec votre tour de poitrine. S'il est le même, vous faites du AA ; s'il est supérieur de 2 cm, votre bonnet est A ; s'il est supérieur de 4 cm, votre bonnet est B ; supérieur de 6 cm, vous faites du C ; supérieur de 10 cm, votre bonnet est un D, etc.

- Essayez-le avant de l'acheter : il est impossible de savoir si un soutien-gorge vous va sans l'avoir essayé.

- Au moment de l'essayage, levez les bras au-dessus de la tête, allongez-les devant et marchez un peu. Cela vous aidera à savoir si vous êtes à l'aise.

- Si les bonnets sont bouffants, plissés et que la poitrine ne les remplit pas, il vous faut une plus petite taille.

- Si vos seins débordent en haut ou sous les bras, essayez une taille plus grande et, éventuellement, des bonnets plus grands qui couvrent mieux.

- Enfilez votre chemisier pour voir l'effet. Et si vous cherchez un soutien-gorge à porter sous une robe pour une occasion spéciale, apportez-la pour faire l'essayage.

- Un soutien-gorge qui s'agrafe grâce au crochet du milieu offre un ajustement idéal.

Tandis que vous êtes au rayon lingerie, vous voudrez peut-être jeter un coup d'œil aux nouvelles gammes de sous-vêtements sculptants. Contrairement aux gaines de votre grand-mère, ces sous-vêtements contribuent à aplatir le ventre, les fesses ou les cuisses, ils procurent aussi soutien et forme, redonnant même au corps un petit air de jeunesse. Ils sont fabriqués dans des tissus confortables, légers et se présentent dans une variété de modèles comprenant des culottes et gaines à taille haute affinante, des débardeurs, des culottes à jambes gainantes ainsi que des combinés conçus pour différentes parties du corps, pour n'en nommer que quelques-uns. Ils sont souvent sans coutures et comportent des panneaux stratégiquement placés pour affiner la silhouette.

Comme je l'ai mentionné dans les chapitres sur la coiffure et le maquillage, les vêtements que vous portez font plus que vous vêtir. Ils influencent l'estime personnelle et la confiance que vous avez en vous, et vous font sentir que vous valez bien le soin que vous prenez de vous-même. Il n'est pas nécessaire de dépenser une fortune ni trop de temps pour vos vêtements. Il suffit de posséder quelques articles confortables et bien coupés qui mettent vos atouts en valeur et camouflent certaines imperfections. Essentiellement, vous serez étonnée de constater à quel point le confort de vos vêtements vous aidera à vous sentir bien dans votre peau.

Réponses du spécialiste

Cojo, gourou de la mode et auteur de *Red Carpet Diaries : Confessions of a Glamour Boy* et de *Glamour, Interrupted : How I Became the Best Dressed Patient in Hollywood*.

Quels pourraient être des moyens simples et rapides d'avoir fière allure ?

- Enfilez un blazer et vous serez immédiatement élégante et chic, quel que soit le reste de votre tenue. Le blazer est un classique qui se présente dans toute une gamme de tissus, mais si vous n'en achetez qu'un seul, choisissez-le dans une gabardine de laine. C'est un tissu intemporel que vous pourrez porter à l'année, sur un pantalon, un jean, une robe ou une jupe. Une fois en possession de ce beau blazer, vous pourrez dépenser moins pour les vêtements à porter dessous, comme les tee-shirts, les camisoles et les tricots.

- Si vous n'êtes pas du type blazer, essayez un châle, un cardigan long ou une veste en tricot. Un tee-shirt et un jean font une tenue ordinaire, mais si vous y ajoutez un châle à motifs ou un long cardigan, vous aurez immédiatement l'air chic.

- Troquez vos baskets contre des chaussures plates. Il est toujours tentant de porter des baskets, mais une jolie paire de chaussures plates confère une touche élégante à n'importe quelle tenue. Il existe plusieurs détaillants bon marché qui proposent des modèles confortables agrémentés de détails de designer.

- Portez une écharpe. Même le chemisier le plus ordinaire a l'air plus raffiné si vous l'agrémentez d'une écharpe. Vous pouvez aussi faire comme les Parisiennes et la nouer sur la courroie de votre sac à main.

- Achetez de beaux bijoux de fantaisie. Les intemporels sont toujours séduisants, comme un bracelet doré classique ou des bracelets en pierres du Rhin. Une autre façon sûre d'avoir l'air élégante consiste à porter une grosse paire de boucles d'oreille en faux diamants. Elles rehaussent tout le visage et ajoutent des étincelles à votre tenue.

- Faites provision de tricots dans des teintes flatteuses comme le rose, le bourgogne et le bleu. Si vous pouvez investir dans le merveilleux cachemire, tant mieux, sinon, il existe de très beaux tricots en laine ou en mélanges de coton à prix abordables.

- Portez un ensemble coordonné en tricot. Ces ensembles tricot et cardigan sont proposés dans une immense gamme de prix, de tissus et de couleurs. Vous pouvez en transformer l'apparence selon que vous les portez pour le travail ou une sortie du soir, ou sans artifices pour un barbecue du week-end. Portés ensemble ou séparément, ces coordonnés sont toujours gagnants.

- Oubliez la petite robe noire. Procurez-vous plutôt une robe de bonne qualité et bien coupée dans une teinte riche comme le bleu profond, le magenta, le bleu nuit ou le bourgogne foncé. Ou alors choisissez le vert émeraude, qui est flatteur sur la plupart des femmes. Tout comme le noir, ces couleurs sont élégantes et chic, faciles à porter en diverses occasions, tout en étant un peu plus modernes.

- Vous ne vous tromperez jamais en portant un chemisier blanc, que ce soit le vôtre ou celui de votre mari.

- Évitez les démarcations en portant un string. Sous une robe, une jupe ou un pantalon moulants, le string, ou tanga, fait toute la différence. Il affine la taille et le bas du dos, évite les marques des sous-vêtements et vous fait paraître plus mince. Si vous trouvez le string qui vous convient, vous verrez que c'est plus confortable qu'on ne le croit.

Je suis une maman au foyer qui retourne sur le marché du travail. Mais après des années en jeans et en sweat-shirt, je ne sais vraiment pas quoi porter.

La meilleure façon de vous constituer une garde-robe consiste à commencer par quelques articles seulement.

- Plutôt qu'un tailleur classique (haut et bas assortis), choisissez une tenue dépareillée pour avoir l'air plus moderne. Par exemple, une jupe à motifs ou écossaise avec un blazer noir (ou vice-versa).

- Choisissez vos autres jupes, pantalons et blazers en noir, blanc et gris, faciles à agencer et à assortir, et optez pour la gabardine de laine, qui se porte en toutes saisons.

- Procurez-vous un chemisier blanc en soie et un ensemble coordonné en tricot, que vous pourrez porter tels quels ou sous le blazer.
- Achetez une robe simple, sans manches, au ras du cou. Cet article de base peut être transformé grâce à un blazer ou un cardigan, ou en y ajoutant un foulard ou un collier.
- Donnez à votre tenue un petit détail moderne en y ajoutant des accessoires comme une chaîne en or, une broche ou des chaussures rouge foncé.

Comment m'habiller selon mon âge tout en ayant une allure branchée?

- N'essayez pas d'avoir l'air plus jeune, car vous risquez d'obtenir l'effet contraire.
- Rappelez-vous le conseil absolu de Coco Chanel et d'Audrey Hepburn : *less is more (moins, c'est mieux)*. Cela vaut pour toutes les femmes, mais c'est d'autant plus important lorsque l'on vieillit.
- Le jean foncé et ajusté est plus élégant pour les femmes d'un certain âge. Laissez le denim délavé aux adolescentes.
- Ne dévoilez pas trop de peau et, même si vos abdominaux sont fermes, ne montrez jamais votre nombril.
- Portez des vêtements ajustés à votre corps, mais jamais moulants.
- Choisissez un article d'allure jeune pour l'adapter à votre tenue. Par exemple, vous apercevez une jeune femme dans la vingtaine qui porte une écharpe bohémienne et des lunettes de soleil géantes avec une minijupe. Vous pourriez choisir l'écharpe (pas la minijupe) et l'ajouter à votre ensemble.

Que devrais-je chercher quand je me rends au magasin?

Faire le choix de vêtements peut sembler une épreuve insurmontable, tant les possibilités sont nombreuses. Afin de prendre de bonnes décisions, il vaut mieux y aller en deux temps. Votre première visite consistera à vous promener et à regarder au hasard, sans vous presser. Cela vous donnera une idée du marché et une première impression de ce que vous aimez ou pas. (Apportez un carnet ou un appareil photo pour vous rappeler ce que vous avez vu et où.) Une fois chez vous, faites l'inventaire de vos vêtements, puis dressez une liste de ce que vous voulez acheter. À la visite suivante, vous pourrez faire quelques essayages en expliquant à la vendeuse ce que vous cherchez. Ce processus en deux temps vous évite d'acheter des articles que vous regretteriez ensuite. Si vous cherchez quelque chose à agencer avec l'un de vos vêtements en particulier, prenez-le avec vous. Faites de même pour les articles que vous pourriez porter avec le vêtement que vous avez l'intention d'acheter. Par exemple, si vous comptez acheter un jean et que vous avez l'habitude de le porter avec des talons hauts, portez-en ou prenez-en une paire avec vous au moment de l'essayage.

Je désire des vêtements qui puissent camoufler certains défauts. Comment faire ?

- Pour réduire un ventre trop rond : les vêtements amples peuvent sembler le moyen idéal de cacher un gros ventre, mais en réalité, ils produisent l'effet contraire. Assurez-vous que tous vos vêtements (tricots, jupes ou manteaux) soient ajustés et bien coupés plutôt que larges et amples. Évitez aussi la taille empire, qui vous donnerait l'air d'être enceinte. Les tissus épais plutôt que moulants offrent un meilleur camouflage. Les hauts ruchés, fabriqués de tissus froncés, aident également à détourner le regard du ventre, tout comme un blazer porté déboutonné sur une camisole ou un tee-shirt. Choisissez-le noir, et vous aurez ainsi l'air d'avoir six kilos en moins. Essayez par ailleurs d'attirer l'attention sur vos atouts. Si vos bras sont superbes, portez des hauts et des robes sans manches. Si vos jambes sont magnifiques, portez une jupe et des chaussures colorées pour les mettre en valeur.
- Pour camoufler la peau flasque dans le haut des bras : évitez les manches courtes ou les hauts sans manches qui laisse-

raient évidemment apparaître le défaut. Optez pour les manches trois-quarts, qui non seulement cachent les triceps flasques, mais font également paraître les bras plus longs. Les manches évasées couvrent bien le haut des bras et détournent l'attention vers le bas du bras. Il est aussi possible de porter un chemisier dont vous aurez roulé les manches juste au-dessus du poignet.

- Pour réduire un large fessier ou une silhouette en forme de poire : des jeans foncés dans une coupe *bootcut* auront belle allure, car le léger évasement rétablit l'équilibre avec les grosses fesses. Optez pour des modèles à grandes poches avec coutures apparentes qui feront que votre derrière aura l'air plus proportionné (contrairement aux petites poches qui attirent l'attention sur votre taille). Si vous souhaitez que vos cuisses aient l'air plus fines, évitez les pantalons garnis de grandes poches sur les cuisses. Choisissez un tissu légèrement extensible, mais assurez-vous que le pantalon ne soit pas trop moulant. Une fois de plus, un blazer qui couvre les hanches peut également aider à atténuer une silhouette en forme de poire. Pour ce qui est des robes et des jupes, la coupe en A (ligne A) contribue à camoufler le problème. Vous pouvez aussi équilibrer vos proportions en attirant l'attention sur des hauts aux couleurs claires ou à motifs originaux, ou encore un haut ample descendant jusqu'aux hanches (plutôt qu'un haut cintré arrivant à la taille). Des talons peuvent aussi aider à faire paraître vos jambes plus longues.

- Pour détourner l'attention des gros mollets : évitez les bottes moulantes en cuir, qui attirent l'attention vers cette partie, de même que les bottillons, qui coupent la jambe à un endroit inapproprié dans ce cas et la font paraître plus épaisse. Choisissez plutôt des escarpins (ouverts au niveau des orteils ou non) dans des couleurs attrayantes comme le rouge ou le bleu foncé. Des collants foncés ou de longs caleçons sont une autre façon d'amincir vos mollets.

- Pour atténuer l'apparence d'un gros buste : un soutien-gorge amincissant procure un bon soutien tout en donnant l'impression que les seins sont plus petits. Choisissez des corsages qui allongent le cou, comme les cols en V, en U (dans la mesure où ils ne descendent pas trop bas) ou une blouse que vous laisserez déboutonnée près du cou. Cela détourne l'attention de la poitrine. Évitez les encolures hautes, les cols roulés et les chemisiers à volants, les manches froncées ou bouffantes, qui peuvent faire paraître votre poitrine plus grosse. Évitez aussi tous les corsages avec poches, éléments décoratifs et coutures dans la région des seins, puisque cela attirera l'attention là où vous ne le souhaitez pas. Si vous avez une taille mince, mettez l'accent sur cette zone au moyen d'une ceinture ou d'un pull bordé dans le bas.

- Pour la silhouette garçonnière : créez l'illusion d'une silhouette de rêve en portant des hauts et des blazers ajustés et cintrés à la taille. Les robes ou les corsages à taille froncée ou les ceintures dans le même style, ainsi que les robes fourreau, aident à définir la taille. Les jupes plissées ou à plis superposés peuvent donner du volume au bas du corps, contrairement aux modèles droits, qui accentuent le manque de courbes.

- Les vêtements qui couvrent la partie de votre corps que vous aimez le moins devraient frôler la peau, mais ne jamais être ni trop moulants ni trop amples. Enfin, assurez-vous d'accentuer vos atouts. Plutôt que de vous concentrer sur vos imperfections, mettez vos atouts en valeur.

Je suis petite. Quelques conseils pour être élégante et séduisante ?

- Portez vos jupes et vos robes au-dessus du genou, vos jambes paraîtront ainsi plus longues. (L'ourlet en bas du genou raccourcit les jambes.)

- Portez des tenues monochromes. La couleur unique allonge le corps.

LE BIEN-ÊTRE ET LA MODE

- Ne laissez pas les accessoires prendre la vedette. Évitez les gros colliers, boucles d'oreille, sacs à main ou même des chaussures qui feraient remarquer votre petite taille.
- Veillez à ce que des détails comme les boutons, les garnitures et les marques apposées soient proportionnés à votre taille.
- Grandissez-vous en portant des chaussures à talons hauts ou à plates-formes. Elles font paraître les jambes plus longues et plus minces, surtout lorsqu'elles sont dans une teinte neutre.
- Les vêtements ajustés sont plus flatteurs pour vous que les vêtements amples et sans forme.
- Recherchez des vêtements confectionnés à votre intention. De nombreux couturiers proposent des collections pour les petites femmes, et plusieurs magasins leur consacrent un rayon spécial. Souvent, les proportions de ces vêtements avantagent vraiment les femmes.

Aidez-moi! Je ne sais pas ce qui me va. Que puis-je faire?

Il n'y a pas de réponse facile. Demandez à une bonne amie, une parente ou une collègue ayant un certain sens du style de vous accompagner dans vos achats ou de donner son avis sur ce que vous faites le mieux, et des conseils sur ce que vous pourriez améliorer. (Il est probable qu'elles seront flattées que vous admiriez leur sens de la mode et qu'elles seront heureuses de vous aider.) Vous pouvez aussi vous adresser aux vendeuses. Ne vous sentez pas obligée d'acheter pour autant. Comme elles connaissent leur marchandise, elles pourraient trouver ce qui vous convient ou ce que vous recherchez. Vous pourriez ainsi finir par développer une relation avec une vendeuse qui vous tiendrait au courant des nouveautés ainsi que des soldes à venir sur des articles que vous convoitez.

Je veux faire le tri dans mon placard. Par où commencer?

Mettre à jour sa garde-robe est une tâche difficile mais nécessaire. Vous vous sentirez moins encombrée et moins contrariée de ne rien trouver dans votre placard. Voici quelques conseils :

- Débarrassez-vous de tout ce qui est démodé. N'attendez pas que ces vêtements reviennent à la mode, car cela ne se produira pas.

- Conservez, mais sans prévoir les porter, quelques vêtements auxquels vous tenez pour des raisons sentimentales. Quelques-uns seulement. Rangez-les soigneusement dans du papier de soie, dans un endroit particulier. (Ce peut être dans une autre pièce si votre placard est petit.)

- Demandez à une amie ou à votre fille adolescente de vous aider. Une autre personne sera peut-être plus objective, et vous conseillera de rejeter les articles peu flatteurs, démodés ou simplement ridicules. De plus, le faire ensemble sera plus amusant.

- Faites des piles. Une pour les vêtements à conserver, une autre pour ceux à jeter et une troisième pour les vêtements à donner. La pile pour donner vous encouragera à vous départir de certains morceaux, car vous saurez que d'autres en profiteront.

9

Le bien-être et la foi

Tout au long de ce livre, j'ai parlé de la façon dont je prends soin de moi physiquement et émotionnellement. Mais je travaille fort également pour maintenir et préserver ma forme spirituelle. Ma mère nous a élevés, mon frère, mes sœurs et moi, dans la foi chrétienne, et cela m'a inspirée profondément. C'était ma mère qui m'amenait à l'église. C'est elle qui m'a appris à lire et à étudier la Bible. Et c'est elle aussi qui m'a enseigné à accepter Jésus comme mon Sauveur.

Maman disait toujours que ce serait à moi de décider du moment opportun. Je n'étais pas sûre de comprendre. *Comment* savoir ? Est-ce que Jésus allait me téléphoner ? Me taper sur l'épaule ? J'étais intriguée. Jusqu'à un jour de mes neuf ans, alors que j'étais en visite chez ma grand-mère maternelle, mamie Lela, à Garber (Oklahoma). Nous nous trouvions dans une magnifique vieille église de campagne qu'elle fréquentait, et je rêvassais en songeant aux plats que chacun avait apportés et que nous mangerions ensuite. (Oui, je pense beaucoup à la nourriture.) Soudain, le prêcheur a dit « Si vous voulez accepter Jésus comme votre Sauveur, le moment est venu ». C'est là que j'ai entendu cette petite voix dans mon oreille. C'était mon moment à moi, et ce moment a changé ma vie pour toujours.

Depuis ce jour, ma relation avec le Seigneur a revêtu une grande importance pour moi. Quand mes fils étaient petits, dès mon réveil et avant de sortir du lit, je remerciais Dieu de toutes ses bontés. Je le priais en même temps de protéger mes enfants et mon mari. Je me suis toujours sentie proche de Dieu et je chéris profondément cette relation. Maintenant que mes fils ont quitté le nid, je dispose de plus de temps pour prier tranquillement. Je ne le fais jamais au même endroit ; je préfère circuler dans la maison et choisir différentes pièces où m'asseoir et ressentir Sa présence. Je ferme les yeux, j'inspire profondément et je m'imagine petite fille, assise sur Ses genoux, et je sens presque Ses bras autour de moi. J'ai l'impression qu'Il est là, dans toute sa gloire. Ma mère m'a enseigné à prier ainsi quand j'étais petite et je le fais depuis parce que cette vision dans ma tête me procure un sentiment de proximité et de protection.

Comme je l'ai déjà dit, presque chaque soir, tandis que je prends un bain relaxant, je remercie Dieu de son amour et de sa guidance. Mais dès que je le peux, j'essaie également de m'asseoir pour avoir une conversation en tête à tête avec Lui. Il ne serait pas réaliste de le faire tous les jours, mais je sais qu'Il est quand même toujours auprès de moi et qu'Il me protège. Je sens Sa présence. Alors, quand c'est le bon moment, je m'assieds, je prends mon temps et je réfléchis. Je fais cela quand je suis heureuse aussi bien que lorsque je suis perturbée. C'est un cadeau que je m'offre. Et lorsque la vie me bouscule un peu trop et que je n'ai pas pris suffisamment de temps avec Lui, je le sais, car j'éprouve alors un sentiment qui ne ressemble à aucun autre, et je décide de m'arrêter pour passer un moment de qualité dans la prière.

Ma foi m'a aidée à traverser plusieurs périodes difficiles, parce que je crois vraiment que Dieu a un projet pour chacun de nous. Et je pense que nous devons respecter ce projet. En fait, cette croyance est l'une des raisons pour lesquelles j'accepte si facilement mon âge. Je sais que chaque année, chaque jour et chaque instant sont des cadeaux de Dieu. Je respecte la trajectoire que Dieu a prévue pour moi et je sais que c'est un privilège d'être en vie, de me réveiller chaque matin pour vivre une autre journée avec mon mari et mes enfants. J'en suis consciente et je ne tiens rien pour acquis.

À 55 ans, je ne suis qu'à 3 ans de l'âge auquel ma mère est morte. Même 24 ans plus tard, je suis triste en pensant à tout ce qu'elle a manqué, non seulement la beauté et les joies de la vie quotidienne, mais également les moments marquants de ma vie comme la naissance de Jordan (un an après sa mort), le mariage de Jay avec la charmante Erica qui fait désormais partie de la famille, la publication de mon premier livre, et maintenant, de celui-ci. Maman était une femme étonnante et de grande valeur qui aimait vraiment la vie, et les larmes me viennent aux yeux quand j'imagine à quel point elle l'aimerait encore plus aujourd'hui.

Je sais que je pourrais choisir de ressasser le fait que ma mère est absente et qu'elle n'a pas pris soin d'elle-même, mais je prends plutôt conscience que sa mort faisait partie du projet de Dieu, pour elle comme pour moi. Je sais que Dieu m'a donné l'intelligence de pouvoir transformer cette tragédie en quelque chose de positif et c'est ce que j'espère avoir réussi à faire dans ce livre. Je souhaite vous avoir donné envie de vous occuper de vous-même afin de rester présente pour ceux que vous aimez et pouvoir prendre dans vos bras vos futurs enfants ou petits-enfants, danser à leur mariage et les observer devenir des êtres merveilleux.

J'ai dit dans mon dernier livre que les femmes sont l'âme d'une maison et je crois fermement, qui que vous soyez et où que vous habitiez, que vous l'êtes vraiment. Il importe peu que vous soyez maman au foyer ou mère occupant deux emplois, que vous viviez dans un petit studio ou dans une immense maison. Lorsque nos enfants font un cauchemar au milieu de la nuit, ils crient aussitôt : « Maman ! », alors même qu'ils sont encore à moitié endormis. Et quand ils rentrent de l'école après une mauvaise journée ou avec une éraflure au genou, c'est encore dans nos bras qu'ils se jettent. Même lorsqu'ils sont trop grands pour s'asseoir sur nos genoux, notre étreinte leur procure toujours un sentiment de sécurité et de protection. Mon espoir est que vous preniez soin de vous-même afin de pouvoir continuer à offrir, toujours, un tendre refuge à votre famille. Et même si vous n'êtes pas une épouse ou une mère, faites-le pour les amis et les êtres chers qui ont besoin de vous.

Un peu plus tôt, j'ai parlé des transformations que nous avons réalisées dans le cadre de l'émission et comment ces changements, proposés tout d'abord pour faire une différence dans la vie d'autres femmes, avaient aussi amené une différence dans la mienne. La même chose s'est produite alors que j'écrivais le présent ouvrage. J'ai commencé en tapant sur le clavier avec le but de raconter mon histoire et de partager avec d'autres femmes les conseils de spécialistes pour leur donner envie de s'occuper le mieux possible d'elles-mêmes. Pourtant, après des mois d'écriture, j'ai pris conscience que ce qui devait être un cadeau pour les autres s'était transformé, devenant un cadeau pour moi-même. Ma vie en a été transformée. J'ai appris davantage sur moi-même que ce que je croyais jamais pouvoir apprendre, et j'ai fini par entrevoir la femme que je serai à 60 ans, à 70 ans et même dans les années qui suivront.

Je crois que, quel que soit notre âge, nous les femmes avons la capacité d'être radieuses, pleines d'énergie et en bonne santé. Il suffit d'un petit effort. L'un de mes modèles à cet égard est la mère de Phillip, que nous surnommons affectueusement mamie Jerry. C'est un trésor de femme, étonnante et adorable. À 83 ans, elle vit encore toute seule, conduit sa voiture partout en ville, et mène une vie très riche et bien remplie ; elle appartient à une formidable Église et possède de merveilleuses amies. Je me souviens à quel point, lorsque le père de Phillip est décédé, nous nous sommes tous inquiétés pour elle, craignant qu'après 54 ans de vie de couple, elle ne disparaisse à son tour. Malgré la perte de son mari, non seulement elle s'en est bien sortie mais elle a imaginé une nouvelle vie pour elle-même. Même si son époux lui manquait, elle n'allait pas laisser sa mort l'empêcher de vivre pleinement. Elle a révélé sa force de nouveau il y a huit ans, quand elle a été atteinte d'un cancer des poumons et du foie. Elle est passée au travers des traitements et elle est maintenant en rémission depuis cinq ans. Sa force, sa passion pour la vie et sa vitalité continuent de m'étonner, et je compte bien lui ressembler quand j'aurai 80 ans, aimant ma vie et appréciant chaque nouveau jour.

Bien entendu, il me reste quelques dizaines d'années avant d'atteindre ce cap, mais je sais que je continuerai à prendre soin de moi jusque-là, car je suis persuadée qu'il n'y a rien d'égoïste dans le fait d'avoir décidé de m'occuper personnellement de ce que Dieu m'a donné. Je vais continuer de vivre avec passion en cherchant constamment tous les moyens pour rester en bonne santé, toujours fière d'être une femme. J'espère sincèrement que vous en ferez autant.

Notes

Chapitre 2

1. MARUIT, S.S., W.C. Willett, D. Feskanich, B. Rosner et G.A. Colditz. Une étude prospective de l'activité physique spécifique à l'âge et cancer du sein préménopausique. *Journal of the National Cancer Institute*, 13 mai 2008.

2. Johns Hopkins Medicine Health Alert, www.johnshopkinshealtalerts.com/reports/nutrition_weight_control/1811-1.html?type=pf

3. REAMES, Robert. *Makeover Your Metabolism*, Meredith Books, 2006.

4. RIVLIN, Richard S. Conserver la santé des gens qui prennent de l'âge : est-il trop tard pour améliorer notre santé grâce à la nutrition ? Am. J. Clinical Nutrition, nov. 2007, 86 : 1572S − 1576S.

5. SPRAGUE, Brian L., Amy Trentham-Dietz, Polly A. Newcomb, Linda Titus-Ernstoff, John M. Hampton et Kathleen M. Egan, Activité physique dans les loisirs et au travail au cours de la vie, et risque de cancer du sein *in situ* et invasif, *Cancer Epidemiology Biomarkers & Prevention*, 1er février 2007, 16, 236-243.

6. Centre de contrôle des maladies, www.cdc.gov/nccdphp/ dnpa/physical/measuring/perceived_exertion.htm

Chapitre 3

1. Fondation nationale de l'ostéoporose www.nof.org
2. Fondation nationale de l'ostéoporose www.nof.org
3. HOLLIS, Jack F., Christina M. Gullion, Victor J. Stevens, Phillip J. Brantley, Lawrence J. Appel, Jamy D. Ard, Catherine M. Champagne, Arlene Dalcin, Thomas P. Erlinger, Kristine Funk, Daniel Laferriere, Pao-Hwa Lin, Catherine M. Loria, Carmen Samuel-Hodge, William M. Vollmer, Laura P. Svetkey, Groupe de recherche d'essai pour maintenir la perte de poids, Perte de poids durant l'étape d'intervention intensive d'essai pour maintenir la perte de poids, *American Journal of Preventive Medicine*, août 2008, pages 118-126.
4. ALEXOPOULOS, N., C. Vlachopoulos, K. Aznaouridis et autres. L'effet prononcé de la consommation de thé vert sur la fonction endothéliale chez les individus sains, *European Journal of Cardiovascular Prevention and Rehabilitation*, 2008, 15 : 300-305.
5. TUCKER, K.L., K. Morita, N. Qiao, M.T. Hannan, A. Cupples, D.P. Kiel. "Colas, but not other carbonated beverages, are associated with low bone mineral density in older women : The Framingham Osteoporosis Study", *American Journal of Clinical Nutrition*. (Octobre) 2006 ; 84(4).
6. FOWLER, Sharon P., Ken Williams, Roy G. Resendez, Kelly J. Hunt, Helen P. Hazuda et Michael Stern. « Nourrir l'épidémie d'obésité ? L'usage des boissons sucrées artificiellement et le gain de poids à long terme », *Obesity* 16, 1894-1900 (5 juin 2008).
7. McGRAW, Phillip C., *The Ultimate Weight Solution Food Guide*, New York, Pocket Books, 2004.

Chapitre 4

1. Académie américaine de dermatologie, www.aad.org/media/background/news/_doc/MinimallyInvasiveSkinRejuvenation.htm
2. La fondation du cancer de la peau, http ://www.skincancer.org/content/view/317/78/
3. La fondation du cancer de la peau, http ://www.skincancer.org/content/view/317/78/
4. WHITMORE, S.E., W.L. Morison, C.S. Potten, C. Chadwick. Exposition dans les salons de bronzage et modifications moléculaires. *J Am Acad Dermatol* 2001, 44 :775-80.
5. KOH, J.S. et autres. « La cigarette associée aux rides faciales prématurées : analyse sur images de répliques de peau », *International Journal of Dermatology*, janvier 2002, 41(1)21-27.
6. Académie américaine de dermatologie, www.aad.org/media/background/news/cosmetic_2007_08_02_newtechnologies.html
7. La fondation du cancer de la peau, www.skincancer.org/content/view/17/3/1/1/

Chapitre 5

1. Clinique Mayo, mayoclinic.com/health/perimenopause/DS00554/DSECTION=symptoms ; http ://mayoclinic.com/health/hot-flashes/HQ01409
2. MORA, S., et autres. « Activité physique et risque réduit d'accident vasculo-cérébral. Mécanismes médiateurs potentiels », *Circulation*, 2007, 116.
3. MURABITO, Joanne M., M.D., ScM ; Michael J. Pencina, Ph.D. ; Ralph B. D'Agostino, Sr, Ph.D. ; Thomas J. Wang, M.D. ; Donald Lloyd-Jones, M.D., ScM ; Peter W. F. Wilson, M.D. ; Christopher J. O'Donnell, M.D., MPH Maladie cardiovasculaire d'un frère ou d'une sœur comme facteur de risque chez les adultes d'âge moyen, *Journal of the American Medical Association*, 2005, 294 : 3117-3123.

Chapitre 8

Université de Washington à St.Louis http ://www.newswise.com/
articles/views/542083/

PRIÈRE DE LIRE CE QUI SUIT. AVERTISSEMENT IMPORTANT.

Les lecteurs sont priés de consulter un médecin ou un autre professionnel de la santé avant de s'engager dans un programme d'exercices, tels que ceux décrits dans le présent ouvrage. Ils devraient aussi obtenir les conseils appropriés de leur médecin personnel ou de tout autre praticien de la santé afin d'adapter les exercices décrits à leurs besoins spécifiques, tenant compte des limites à ne pas dépasser selon leur condition physique personnelle.

L'ouvrage est basé sur des renseignements provenant de sources réputées fiables. Bien que des précautions raisonnables aient été prises pour vérifier leur exactitude au moment de l'impression, il se peut qu'elles ne soient plus à jour ou même qu'elles comportent des erreurs. Le lecteur ne doit utiliser l'ouvrage qu'à titre de guide général et non comme une source absolue d'information sur le sujet du livre. L'ouvrage ne reproduit pas tous les renseignements accessibles à l'auteur et à l'éditeur sur le sujet abordé, mais vise plutôt à simplifier et à compléter d'autres sources d'information.

Le présent ouvrage ne remplace nullement les conseils d'un médecin et ne propose aucune technique de diagnostic ou de traitement. Les lecteurs qui auraient besoin d'une aide médicale, professionnelle ou de toute autre expertise sont priés de s'adresser aux personnes compétentes en la matière.

L'usage à titre personnel d'une information contenue dans cet ouvrage n'engage ni la responsabilité de l'auteure ni celle de l'éditeur.

Pour obtenir une copie de notre catalogue :

Éditions AdA Inc.

1385, boul. Lionel-Boulet, Varennes, Québec, J3X 1P7
Téléphone : (450) 929-0296, Télécopieur : (450) 929-0220
info@ada-inc.com
www.ada-inc.com

Pour l'Europe :

France : D.G. Diffusion Tél.: 05.61.00.09.99
Belgique : D.G. Diffusion Tél.: 05.61.00.09.99
Suisse : Transat Tél.: 23.42.77.40

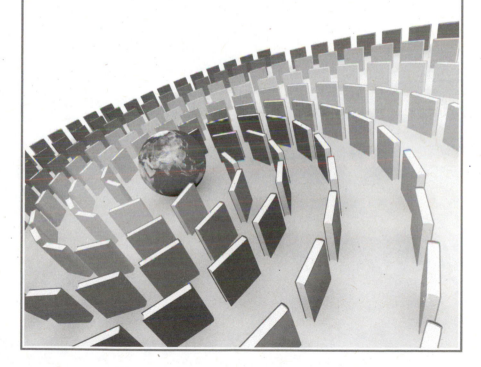

éditions

www.AdA-inc.com
info@AdA-inc.com